JIM HENNIG, Ph.D.

Negociando para Ganar

Palabras claves, frases y estrategias para cerrar
negocios y construir relaciones duraderas

TALLER DEL ÉXITO

A los miembros de mi querida familia, quienes me enseñaron el principio más importante de la vida: Las relaciones son lo más importante.

Al amor de mi vida y mejor amiga, Coreen;

A mis padres ideales, Margaret y Fred, a quienes extraño mucho;

A mi ángel hermana, July y John, y su familia maravillosa;

A mis hijos e hijastros, Dawn, Troy, Ryan, Tara, Robert, Ashley, Dan, Phil, Rob, y Kellen.

Contenido

Introducción

Negociando *para ganar* es el nombre de la asignatura que nunca le enseñaron en la secundaria ni en la universidad (pero debieron haberlo hecho). Negociar es una de las habilidades más importantes que una persona puede desarrollar ya que significa el tiquete al éxito, a la felicidad y a la prosperidad.

Pero, ¿y qué es negociar? Yo lo defino de la siguiente manera: *"Negociación es cualquier situación en la que dos o más partes interactúan y por lo menos una de las ellas busca ganar como resultado de esta interacción"*. Pregúntele a las personas exitosas cuál habilidad consideran ellos como la más importante para alcanzar el éxito y casi siempre le dirán: "Negociar."

....

El arte de *articular el trato* es la habilidad

más importante que usted puede aprender.

....

No importa si usted es una persona de negocios, padre de familia, profesor, agente de ventas, empresario, enfermera, contador público, abogado, político... todos negociamos muchas veces a diario y lo hacemos generalmente dentro de los siguientes contextos:

- Si compra o vende una casa o un automóvil.
- Cuando pide un aumento en su salario o acuerda algunas de sus condiciones laborales.

- Cuando escoge con su pareja el lugar de las próximas vacaciones.
- Cuando llega a ese gran trato con su cliente más importante.
- Cuando necesita persuadir a su hijo de cinco años para que coma vegetales.
- Cuando tiene que decidir sobre *cualquier asunto* con su hijo adolescente.

Algunas de estas negociaciones pueden ahorrarle o producirle cientos y a veces, miles de dólares. Hay otros negocios en los cuales se pueden destruir relaciones inapreciables. En otras ocasiones, los resultados finales del negocio son más importantes que los iniciales. Pero sin importar lo que sea, hay mucho en juego.

Sin embargo, con mucha frecuencia escucho a mis clientes decir: "Odio tener que negociar". "No me gusta estar en la posición de contraparte". "No me gusta tener que enfrentar a la gente." "Si negociar significa que tengo que estar dispuesto a eso, ¡olvídelo!" "Sencillamente pago lo que me pidan" "Leí esos libros hace muchos años y ese era el mensaje, ¿no es cierto?" ¡No es cierto! Eso tal vez pudo haber funcionado hace unos diez años y sí, ese era el mensaje pero los tiempos han cambiado. La mayoría de la gente es mucho más sofisticada ahora porque tiene más experiencia y conocimiento sobre el arte de negociar.

¿Cómo se sintió la última vez que alguien utilizó tácticas de intimidación para que usted le aceptara el trato? ¿No es verdad que a nadie le gusta eso? Tales tácticas, máximo producen algunos resultados pero solo a corto plazo. No obstante, el precio que se paga al final es demasiado alto. Pero ¿qué hay si usted puede obtener lo que desea sin tener que ser el chico malo? ¡Eso es posible! De eso se trata este libro.

Mi filosofía básica para negociar es esta:

> **Construya las relaciones descubriendo las verdaderas necesidades tanto suyas como las de la otra persona a través del uso de preguntas, escuche con atención, demuestre honestidad, integridad e interés sincero y construya un vínculo de cooperación.**

¿Suena eso demasiado altruista? Lo es, pero cuando usted puede ser altruista y a la vez, obtener en la mayoría de las situaciones los mejores resultados de la negociación, en comparación con lo que conseguiría con las técnicas antagónicas tradicionales ¿por qué no hacerlo? La razón por la cual funciona esta filosofía de la negociación es simple: *La gente quiere tener tratos con usted porque les gusta su compañía.* Y bajo ese contexto, las personas más dispuestas a hacer concesiones, se hacen más sensibles a sus necesidades y se sienten más impulsados a satisfacerlas.

··

LAS PERSONAS QUIEREN TENER TRATOS CON USTED PORQUE LES GUSTA SU COMPAÑÍA.

··

Hay personas que negocian con la actitud que no tienen por qué interesarse en la otra parte y tan solo desean obtener su propósito sin importar lo que ello implique. Existen dos formas de enfrentar a este tipo de negociador:

- Retírese: es agradable hacerlo si se tienen alternativas.
- Conozca los conceptos básicos de la negociación: cuando usted conoce las tácticas que la contraparte está utilizando, como por ejemplo sus estrategias, técnicas y trucos, estos se hacen mucho menos efectivos.

Este libro le enseñará acerca de todas las tácticas que tienen que ver con la negociación de modo que usted pueda utilizar este conocimiento cuando sea necesario.

Los capítulos 1 y 2 contienen las técnicas (preguntar y escuchar, respectivamente) que le permitirán conocer *las verdaderas necesidades de la otra parte*. Cada parte en una negociación tiene dos tipos de necesidades:

• Las necesidades inmediatas relacionadas con la negociación.
• Las necesidades relacionadas con su estilo de personalidad singular (la forma como les gusta negociar, cómo les gusta ser tratado, etc.)

Por esto es que cada negociación es diferente. En cada caso difieren las "necesidades de la negociación" o las "necesidades personales," o ambas y de repente pueden cambiar las reglas del juego. Negociar no solo es una *habilidad* basada en principios (los cuales serán considerados y enseñados en este libro), sino que además es un arte (el cual se pueden aprender únicamente a través de la experiencia por medio de aplicar estos principios).

Después de años de observación, ha quedado claro que los *buenos* negociadores entienden qué tan definitivo es identificar rápidamente las *necesidades de negociación* de la contraparte. No obstante, los grandes negociadores entienden la importancia de identificar rápidamente, no solo las necesidades globales de la negociación, sino también, las *necesidades personales* de la otra parte.

Los primeros dos capítulos constituyen la información más importante del libro entero ya que estos enseñan las dos habilidades esenciales que se necesitan para descubrir las necesidades de la contraparte en una negociación. Preste especial atención al capítulo 1, "El poder de las preguntas." No es que preguntar sea más importante que escuchar, ya que ambas habilidades son de igual importancia. La diferencia radica en esto: *hacer preguntas es una habilidad que puede ser enseñada; escuchar es un arte que nace por motivación del corazón.* En otras palabras, el proceso de aprender a hacer preguntas requiere saber qué preguntar y cómo preguntarlo. Mientras que en cuanto al arte de escuchar de forma efectiva, hay algunas técnicas que se pueden enseñar, pero que dependen más de la motivación de quien escucha.

El capítulo 3, "Factores de poder", le permite valorar su influencia en la contraparte, y posteriormente le demuestra cómo maximizar su propio poder.

Cuando usted domine estos tres pilares de la negociación (preguntas, escuchar y poder), estará poniendo un excelente fundamento con relación a las demás cualidades que se enseñan en los capítulos restantes de este libro, lo que incluye:

- Cuándo hacer y cómo ganar concesiones.
- Negociar desde una posición débil.
- Cómo manejar a los negociadores difíciles.
- Alternativas ante un callejón sin salida.
- Lenguaje corporal.
- Técnicas para utilizar en el teléfono.
- Negociaciones en equipo.
- Tácticas y estrategias.
- Cómo evitar errores frecuentes.

Este libro está diseñado para ser una guía de referencia rápida, así como un manual que debe leerse de principio a fin. Espero que usted se tome el tiempo para hacerlo. No obstante, encontrará que una vez leído todo el material, es muy práctico consultarlo como referencia rápida antes, durante y después de una negociación. Revisar nuestras directrices, estrategias, tácticas y técnicas, particularmente cuando se está cerca a una negociación real, hará que estas se conviertan en hábitos y no en ideas abstractas o conceptos filosóficos. Es por ello que algunos conceptos que son similares se presentan en más de una ocasión dentro de un mismo capítulo y se hacen referencias cruzadas dentro del mismo texto.

PRINCIPIOS PARA HACER UNA BUENA SOCIEDAD

Hace unos años me quedé asombrado por la habilidad de algunas personas para construir relaciones y de asociarse con otros para alcanzar metas comunes. Y al pasar el tiempo empecé a observar que hay quienes han demostrado tener esa habilidad mientras que otros carecen de ella. De modo que empecé a preguntarme: ¿en qué consiste ese ingrediente especial que hace que los demás quieran estar alrededor de cierto tipo de personas? ¿Qué hace que otros quieran tener tratos comerciales con ellos? ¿Qué hace que otros sientan que ellos son sus amigos? ¡Tenía que averiguar la respuesta! ¡Tenía que encontrarla!

De modo que empecé a hacer un estudio profundo de la gente que era realmente buena en establecer alianzas y en construir relaciones. Me tomó bastante tiempo empezar a ver los indicios y poco a poco algunos aspectos comenzaron a ser claros ante mis ojos. Hubo una cosa que empezó a sobresalir muy por encima de las demás y parecía emerger a la superficie como el secreto para establecer relaciones de confianza. El secreto es bastante simple:

La gente hace negocios con personas que resultan de su agrado

A la gente le gusta hacer negocios con las personas a quienes les interesa su bienestar. Ahora bien, lo más probable es que esto no le resulte muy sorprendente, como también es probable que usted diga: "De hecho, yo se eso desde hace años y me parece obvio."

Lo que no es tan obvio es qué es aquello que hace que los demás perciban a quiénes *realmente se interesan por ellos.* Entonces me decidí a investigar en qué consistían esos principios o características que hacían la diferencia. Sabía que si lo lograba, habría encontrado una gran respuesta.

De modo que continué observando. Pronto otros principios empezaron a salir a la luz y mientras más estudiaba a los grandes socios y lo que hacía que sus alianzas fueran tan exitosas, ya fueran familiares, sociales, o de negocios, más se cristalizaban las ideas en mi mente. A través de los años los principios se hicieron patentes para describir *cómo* comunican a muchas personas la idea que realmente nosotros somos de su interés. A continuación se describen esos principios que los grandes negociadores parecen dominar:

1. Actúe como si la relación fuera a durar para siempre

Seamos prácticos: ¿Durará para siempre? No, con la excepción de la relación de esposos o de familia, tal vez con el amigo más allegado. De modo que entre el 95% y el 99% de las veces la relación no durará para siempre. Y en el caso de muchas de sus relaciones de negocios durarán solo unos instantes y usted no volverá a ver a esa persona de nuevo. Pero ahí está la clave: cuando usted actúa como si la relación fuera a durar para siempre y realmente muestra interés en la otra parte, sucede algo que es difícil de explicar (¡y no estamos hablando del karma!).

Ejemplo, cuando vendí mi avión y mi casa en preparativos para mudarme a Arizona, para mí era importante encontrar la persona indicada para que se quedara con estas dos posesiones. Yo las había disfrutado demasiado y quería encontrar a alguien que tuviera esa misma satisfacción que yo había experimentado. Cada vez que tenía un comprador potencial, lo trataba como si la relación fuera a durar para siempre. Aquella relación perdurable nunca ocurrió, pues en un caso duró una semana y en el otro un mes. Pero cuando los pormenores se volvieron tediosos en ambos tratos, casi hasta el punto de terminar los acuerdos, la venta no se hubiera podido realizar si no hubiera sido por la relación que habíamos construido.

El principio — actuar como si la relación fuese a durar para siempre — es el pilar de los principios de asociación y por ende, es uno de los conceptos más importantes sobre los cuales se base este libro. Los siguientes siete principios suministran ejemplos adicionales sobre cómo hacer esto. Usted encontrará que este concepto está entretejido con el contenido entero de este libro.

2. Comprenda las necesidades y los deseos, tanto de la otra parte como los suyos

> *"Siempre familiarícese con la contraparte.*
> *Nunca haga negociaciones con un extraño".*
>
> — SOMERS WHITE

Trabaje con solicitud para satisfacer las necesidades y deseos de la otra parte de la misma manera en que otros lo hacen para con usted mismo.

Ejemplo: En el comienzo, cuando yo estaba desarrollando estos principios de asociación, empecé a experimentarlos en mi propio negocio y estuve hablando con mi abogado, quien tenía una copia de los principios sobre proteger los derechos de autor y obtener la marca registrada. Él explicó que su firma tenía un paquete estándar para hacer esto por una módica suma por debajo de los $1,000 dólares.

Intentando obtener alguna ventaja le pregunté: "¿existe alguna otra alternativa?"

"Seguro que puedes hacerlo tú mismo, Jim. La tarifa vale unos $250 dólares, los cuales, por supuesto, están incluidos en nuestro precio."

"David, ¿tú crees que estos principios para hacer asociaciones son una buena forma de hacer negocios?"

"Sí, parecen ser un gran concepto."

"Los aplicarías conmigo en esta transacción"

Después de un momento, dijo: "Sí."

"David, yo confío en ti y voy a seguir tu consejo, cualquiera que sea, porque sé que funcionará por el bien de nuestros intereses. Mi pregunta es: ¿debería yo inscribirme por mi cuenta o tomar tu paquete?"

Entonces hubo otra pausa, esta vez un poco más larga. Entonces un poco exaltado, dijo: "Jim, ya sé, te voy a enviar por fax el formulario. Tú o uno de tus asistentes pueden llenarlo. Envíalo de vuelta y yo me encargo de él. ¡Apuesto a que ahorrarás unos $500 dólares!"

"David, eres un gran abogado, seguiré tu consejo."

Así que, obviamente aquello había significado una ganancia para mí. Me ahorré $500. Pero, ¿y David? Tal vez usted diga: "Bien, él perdió $500 dólares." Pero en realidad, él logró dos cosas:

- El obtuvo mi transacción y mi lealtad.
- Yo lo he referido a muchas personas que le han pagado en repetidas ocasiones honorarios de $500 dólares que "dejó de percibir" por mi trato.

En pocas palabras, David se esforzó al máximo por satisfacer mis necesidades y las suyas propias. Lo que se siembra, se recibe de vuelta.

3. Esté orientado hacia "ellos" y no hacia "usted"

La regla de oro dice: "Haga a los demás como le gustaría que le hicieran a usted". Note que aquí se hace el énfasis en la palabra *usted*.

La regla de platino (como lo describe Tony Alessandra en su libro del mismo nombre) cambia ligeramente el pensamiento: "Haga a los demás como le gustaría que ellos hicieran con los *demás*".

Note que el énfasis se hace en los *demás*. En otras palabras, trate a los *demás* de la forma en que a *ellos* les gustaría ser tratados. Y seamos francos, todas las personas son diferentes. Trate a cada persona de forma diferente. Pero sobre todo, trátela en la forma en que a ella le gustaría ser tratada.

Ejemplo: Usted se encuentra hablando por teléfono con una persona que habla demasiado despacio y quiere lograr resultados con esta persona, pero usted se está impacientando porque habla demasiado despacio. ¿Cuál regla usaría: la de oro o la de platino? Si usted quiere obtener resultados escoja la de platino. Usted reduce el ritmo y la otra persona se empieza a sentir cómoda porque la ha tratado de la forma en que a ella le gusta que la traten y se siente feliz, tranquila y mucho más dispuesta a cooperar y ayudarle a conseguir todo lo que usted necesite.

4. Reconozca los sentimientos como hechos

Ejemplo: A veces mi esposa se siente triste cuando no hay una buena razón para que se sienta así. Si tan solo yo pudiera ayudarle a ver por qué no es bueno sentirse así sería maravilloso. ¿Cómo lo estoy haciendo, esposos? No muy bien, ¿verdad?

Cuando la otra parte se siente herida, ofendida, tergiversada o no valorada, o cualquier otra emoción positiva o negativa, ello se debe considerar como un hecho. Esa es la forma como se siente. Al principio no importa si así es como "debería" o no sentirse.

En toda negociación, esfuércese por primero saber cómo se siente exactamente la otra parte.

Pregunte: "¿Cómo se siente con respecto a... (Mencione el

asunto)?" Luego, si resulta apropiado, pregunte: "¿Puedes ayudarme a entenderlo mejor?" Haga las preguntas adicionales que sean necesarias para asegurar que entiende la forma como se siente la contraparte y la razón por la que se siente así.

Entonces pudiera continuar diciendo: "Ahora permíteme ver si lo entendí bien… lo que creo haber entendido es que te sientes… (Exprese en sus propias palabras lo que entendió). ¿Es eso correcto?" Reconozca los sentimientos de la otra parte como hechos. Entonces decida el curso de acción apropiado.

Mientras enseñaba en la Universidad de Purdue, conocí a un profesor maravilloso cuyo nombre es Charles Riker, quien enseñaba la máxima: "Los sentimientos primero, luego los pensamientos," en todos los entrenamientos de comunicación que él conducía y enfatizaba la idea de que uno puede *pensar claramente* hasta el momento en que puede entender *cómo se siente*. Primero, establezca cómo se siente usted y su contraparte. Una vez hecho esto, aborde los aspectos más difíciles de la negociación.

> **"SOLO HASTA CUANDO UNO ES CONSCIENTE DE SUS SENTIMIENTOS, PUEDE PENSAR CON CLARIDAD."**
> **— DR. CHARLES RIKER**

Mi esposa con frecuencia dice: "Jim, gracias por escucharme. Eso me ayudó a cristalizar mis sentimientos y ahora sé qué debo hacer." Y yo solo la escuché sin tener que ayudarle a resolver ningún asunto.

5. No asuma las ofensas como algo personal

Los grandes negociadores conocen el peligro de tomar las ofensas como algo personal. Ellos se han entrenado a sí mismos a no permitir que eso suceda ¡aún en los casos en que la ofensa es intencional! Ofenderse solo incrementa las emociones negativas y genera obstáculos en la negociación.

Ejemplo: Hace algunos años uno de mis hijos decidió que quería convertirse en piloto de aerolínea. La forma más práctica de acumular horas de vuelo y conseguir buenas calificaciones consistía en comprar una pequeña aeronave de entrenamiento. Luego de evaluar lo que había disponible, encontramos lo que parecía ser la aeronave perfecta para nosotros. Después de ver las fotos y revisar las especificaciones y de fijar un precio, intentamos hacer un trato por teléfono. Aquello era preliminar a la inspección in situ que haríamos una vez llegáramos al pequeño aeropuerto en Idaho.

Luego de una inspección breve le mencioné al dueño que la pintura exterior se veía más deteriorada de lo que aparecía en las fotos que nos había enviado y que quería hacer algunas llamadas antes de tomar una decisión.

Al final compramos la aeronave y después de hacer el papeleo, antes de partir el dueño anterior me dijo: "Tuve que contenerme por su comentario sobre la pintura. Hace mucho aprendí que las ofensas personales no son constructivas en una negociación. Me alegro de haberlo hecho pues no hubiéramos podido cerrar el acuerdo." En ese momento yo aproveché la situación para disculparme por no haber sido más considerado con sus sentimientos. Ciertamente no había sido mi intención ofenderlo o decepcionarlo.

¿Cuántas negociaciones no se han truncado porque una o ambas partes resultó ofendida? Piense en lo siguiente: nadie puede ofenderlo sin que usted se le permita. Todo lo que los demás hacen es decir cosas o emprender acciones que faciliten que usted se ofenda. *La única persona* que finalmente se puede ofender es *usted*. No permita que eso suceda. Usted puede conseguir mejores resultados si no toma la ofensa como algo personal......

Nadie puede ofenderlo sin que usted se lo permita.

6. Utilice su poder para construir relaciones

La gente que participa en negociaciones con frecuencia utiliza su poder para conseguir una ganancia inmediata. No obstante, esas capacidades pueden ser aprovechadas mejor si se utilizan para construir relaciones a largo plazo.

Ejemplo: Un conocido me invitó para que participara a ser coautor con él en un gran proyecto. Dijo que ya había invertido $60,000 dólares en la investigación. Después de considerar el asunto plenamente así como sus antecedentes, decidí participar en la propuesta. Nuestro acuerdo le permitió recuperar los $60,000 dólares en los primeros avances. Cerca de un mes antes de firmar el contrato, el hombre vino y me dijo que su contador había descubierto y le había informado que la investigación había costado solamente $40,000 dólares. Entonces dijo: "Tenemos que cambiar el contrato, Jim." ¡Qué sorpresa! ¡Qué honestidad! ¡Hablemos de usar el poder para construir relaciones! Imagine mis niveles de confianza con este nuevo socio.

Otro ejemplo: Un cliente de una compañía me solicitó desarrollar un programa de audio que fuera diseñado exclusivamente sobre el tema de las negociaciones en finca raíz. Yo haría todo el trabajo escrito y también sería la voz de la grabación. El cliente asumiría todos los costos de producción y yo conservaría los derechos de copia y pondría mi información de contacto en el producto. Ellos me pagarían unas regalías cada vez que utilizaran el programa con su personal. Al mismo tiempo yo podría comprar el programa a precio de costo para ofertarlo a mis otros clientes en mi sitio de Internet. Este es un ejemplo perfecto de cómo ellos utilizaron su poder para crear una situación ideal para ambas partes.

7. Mantenga comunicación abierta y sincera

¿Qué tan importante es la sinceridad en una negociación? Yo podría admitir que en algunas negociaciones mentir pudiera ayudar a promover su causa. Pero, ¿vale la pena? Solo usted puede contestar esa pregunta y tal vez la mejor respuesta a esta pregunta sea otra pregunta: ¿Cuánto tarda en recuperar la confianza de alguien con quien no se ha sido sincero? Es muy posible que eso nunca suceda. Mark Twain dijo en una ocasión: "Si dices la verdad, no tendrás que recordar nada."

Ejemplo: Yo estaba vendiendo mi avión a un comprador ansioso que había respondido a mi anuncio de venta y le pregunté: "¿Qué le gustaría saber primero sobre el avión, las cosas buenas o las malas?"

Su respuesta obvia fue: "Las malas."

"Cuando hay lluvia fuerte y uno está volando por instrumentos el radio de comunicación #1 a veces desarrolla estática, lo que a veces hace difícil escuchar al controlador. Lo he llevado al taller dos veces pero no han podido solucionar el problema. Sin embargo, he encontrado que es fácil superar ese problema con sencillamente cambiar y utilizar el radio #2. Después de algunos minutos puedes regresar al radio #1 y ya no se presenta el problema."

En seguida procedí a mencionar otros dos problemas menores y me preocupé para que estos tres problemitas no pudieran arriesgar mis posibilidades de negociación. No obstante, después de eso el hombre quiso conocer las buenas cosas de la aeronave, las cuales eran muchas. Ese día después de comprar el avión el hombre dijo: "Jim, tan pronto me dijiste lo del problema del radio supe que podía confiar en ti (y en el avión). Obviamente yo no me hubiera dado cuenta de eso porque no estábamos probando el avión en condiciones de vuelo de instrumentos, de modo que tomé mi decisión justo en ese momento."

Supongo que la honestidad es la mejor política aunque ello cueste la negociación. Se sorprenderá cuán a menudo sucede que lo opuesto es cierto. Mark Twain también dijo: "La sinceridad es la mejor política cuando hay dinero implicado."

La otra parte de este principio es la *comunicación abierta*. Esto es lo que yo he aprendido: las personas que son buenas en construir relaciones prosperas parecen compartir información personal (o que puede considerarse "confidencial"). Por favor, no me malinterprete. Obviamente hay información que (en la mayoría de las situaciones) debe permanecer confidencial. Sin embargo, si usted está dispuesto a compartir información que la otra parte considera como privada, la otra parte se verá impulsada a hacer lo mismo. Tiene sentido, entre más conozcan ambas partes sobre la situación del otro, más dispuestas estarán a llegar a un acuerdo que satisfaga mejor las necesidades de cada uno.

8. Determine de antemano la forma de resolver las diferencias

El momento para resolver las diferencias es *antes* que estas ocurran... antes que las emociones negativas ocurran... antes que los ánimos se agiten... antes que se hieran los sentimientos. Lo que es fácil de solucionar de antemano es muy difícil de solucionar cuando se está en medio de un desacuerdo acalorado.

En una asociación simple usted pudiera decir algo como esto: "Katherine, nuestra sociedad es realmente muy importante para mí y sé que lo es también para ti. Sería terrible que un desacuerdo terminara con nuestra amistad o con nuestras relaciones comerciales. Acordemos sobre esto: si alguna vez tenemos un desacuerdo y parece que no podemos resolver la diferencia, permitamos que Tricia decida cuál debe ser la solución del problema. Sé que confías en que Tricia es una persona imparcial y yo también confío en ella. Yo estaría de acuerdo en avalar su decisión. ¿Qué hay de ti?"

En una situación más formal tal vez ustedes acuerden en utilizar las directrices de la American Arbitration Association (Asociación Americana de Arbitramento www.adr.org) antes de emprender alguna acción legal. George Herbert escribió un pensamiento muy sabio allá en 1640: "Una pequeña concesión es mejor que un demanda robusta."

Estos ocho principios de asociación son el fundamento de la información que subyace a los doce capítulos a continuación (técnicas, estrategias, directrices, tácticas, filosofías). Piense en cada capítulo como si fuera un espacio en su casa. Cada uno tiene una función diferente. Algunos negociadores son fuertes en un área específica (algunos espacios). Sin embargo, es muy importante ser un negociador bien equilibrado, no uno que sea fuerte en un par de áreas solamente. ¿Cuán buena y deseable sería una casa sin una cocina? ¿Cuán eficaz sería un negociador si no demostrara la habilidad de escuchar o de hacer preguntas, de proyectarse desde una posición débil o de superar un impase crítico en una negociación?

A medida que aborde cada capítulo, evalúe su habilidad en cada área. Ponga especial atención en aquellas áreas donde se sienta más débil. Como la casa con la cocina es posible que usted descubra que aún sus fortalezas necesitan mejorarse. Para el momento en que esté finalizando este libro, sentirá una nueva sensación de confianza y estará atento a su próxima negociación.

PRIMERA PARTE

Antes de iniciar la negociación

Asuntos de los que debe estar
al tanto antes de comenzar

1

EL PODER DE LAS PREGUNTAS

*"Evalúa al hombre por sus preguntas
en vez de por sus respuestas"*

— VOLTAIRE

Existe una buena razón por la cual estoy comenzando este libro con una atención especial sobre el tema de las preguntas. Se refiere a mi filosofía básica de la negociación: *Construir relaciones por medio de identificar y satisfacer necesidades reales.* ¿Cómo identificar las necesidades? Haciendo preguntas. ¿Qué porcentaje del tiempo en que usted negocia dedica a hacer preguntas y a escuchar sus respuestas? Es posible que esté dedicando más tiempo a hablar que a hacer preguntas y a escuchar. Cualquier persona puede incrementar su aptitud negociadora por medio de hacer preguntas más eficaces. Y esto sucede porque mientras más conozca las necesidades de la otra parte, mejor capacidad tendrá de satisfacer esas necesidades y por ende tendrá mayor control de la situación.

FUNCIONES DE LAS PREGUNTAS

¿Por qué hace preguntas un buen negociador? ¿Cuál es la función de las preguntas en un proceso de negociación?

1. Preguntas que capturan la atención
de quien las escucha

Algunas preguntas están dirigidas hacia conocer las necesidades de las personas pero presentan deficiencias en su planteamiento. No obstante, comenzar con "Si..." o "Suponga que..." puede ayudar a tener un buen comienzo.

"Supongamos que se produce una falla en el fluido eléctrico y ésta se presenta durante un tiempo largo, ¿qué harían usted y su familia?" (Animando a comprar una planta eléctrica casera.)

Si yo le demostrara una forma de ahorrar dinero refinanciando la hipoteca de su casa, ¿le interesaría?

Niños, si yo les mostrara la forma en que podemos ir al parque de Disney, ¿les interesaría saberla? (¿Existe la posibilidad que no consiga la atención individual de los niños?)

"¿Cómo se siente al respecto?" Esta pregunta, que en general se usa para conseguir información, puede ser utilizada para captar la atención de alguien que tienda a basar sus decisiones en sus *sentimientos*. Eso tiene sentido para esta clase de personas; capta su atención y les hace sentir que usted se interesa en su bienestar.

"¿Qué piensa usted de eso?" Utilice esta pregunta con las personas que usted sepa que tienden a basar sus decisiones en la lógica. La pregunta tiene sentido en ese caso particular. Observe que las últimas dos preguntas son básicamente las mismas. La primera está dirigida a una persona más emocional y la segunda a una persona más racional. De esa manera estamos aplicando la regla de platino, tratando a la persona de la forma que a ella le gusta, no de la forma como le gusta a otra persona (vea la página 17).

2. Preguntas que obtienen información

Esta es la función más común de una pregunta. ¿Quién? ¿Qué?
¿Por qué? ¿Dónde? ¿Cuándo? ¿Cómo? El conocimiento es poder
en una negociación y en particular, el conocimiento de la otra
parte y de sus necesidades. Formule la pregunta correcta, de la
forma correcta, en el momento justo y posteriormente escuche
cuidadosamente la respuesta. A continuación aparecen algunos
ejemplos de preguntas que obtienen información valiosa:

"¿Qué más me puedes decir?" El simplemente asumir que hay
más información para ser compartida hace que salga a la luz información valiosa.

"¿Es la oferta (propuesta, posición) clara?" Haga de esta una
pregunta habitual luego de hacer una propuesta. Asegúrese que la
percepción de la otra parte sea la percepción correcta. La percepción de la contraparte es su realidad.

"Sí... ¿en serio?... ajá... oh, eso suena interesante..." La mayoría
de la gente se siente impulsada a compartir más información con
sencillamente expresar palabras como estas, así como cuando se
utiliza lenguaje corporal como asentir con la cabeza, sonreír y expresiones que demuestran que uno espera que hay más información
por suministrar. A la gente le gusta hablar con personas que saben
escuchar. Sea bueno para prestar atención cuando le hablan. (sobre
este tema hablaremos en detalle en el capítulo 2). Una vez la persona haya contestado la pregunta, permanezca en silencio, como si
usted estuviera esperando recibir más información. Al negociar, el
silencio es normalmente una muestra de fortaleza y experiencia. Y
aún más, el silencio hace que la otra parte se sienta inclinada a hablar, lo que le permitirá a usted obtener más información.

"En cuanto a la decisión final: ¿hay otras personas a quienes
deba consultarse o usted toma la decisión final?" Esta es una muy

buena pregunta para hacer sobre todo hacia el principio de la negociación. Usualmente el ego de la otra parte aflora y dice: "Yo tomo la decisión final en este tipo de cosas." Y aún en los casos en que eso no sea cierto, esto elimina la posibilidad que después se diga que se tiene que consultar con terceras partes para antes que se deba tomar una decisión (vea la sección "Agente con autoridad limitada," en la página 152). Además, si usted percibe que esta pregunta puede ofender a la otra parte, puede hacerla de forma menos directa, por ejemplo, *"En asuntos como este, ¿cómo se toman las decisiones finales?"* (esto elimina la referencia directa de la otra parte).

"No entiendo," o *"No estoy seguro de estar entendiendo bien."* Estas dos frases siempre logran el propósito de conseguir más información.

"En este momento, ¿sé todo lo que debería saber sobre este asunto?" Esta pregunta lo pone a usted en la situación de la otra parte, pues lleva a pensar: "¿Qué va a descubrir esta persona que yo debí haberle contado de antemano?" Esta es una de las preguntas más importantes que deben hacerse en una negociación. Es una pregunta abierta y terminada que cuando se hace, normalmente se recibe información valiosa que no se haría disponible de otra manera. Esta pregunta puede hacerse en cualquier momento de la negociación y es particularmente útil cuando usted no puede pensar en otra pregunta pero siente que no tiene toda la información para seguir adelante.

3. *Preguntas que suministran información*

En mis seminarios con frecuencia hago esta pregunta: "¿Es posible que alguien haga una pregunta para dar información?" ¿Cómo se hace esto? Es precisamente de lo que estamos hablando. Yo les hice una pregunta y les di la información que quería que ellos tuvieran. Usted puede utilizar este tipo de pregunta cuando necesite dar información que la otra parte no tiene.

"*Bill, ¿estás al tanto que si emprendemos esta acción que tú estás sugiriendo, estaríamos entrando en una situación que nos pondría en desacuerdo y nos podría llevar a los tribunales?*" Este tipo de pregunta es especialmente útil cuando usted percibe que la otra parte no está al tanto de un hecho importante, o cuando usted considera que es necesario recordárselo.

"*¿Existe la posibilidad que...?*" Esto simplemente suministra a la otra parte una nueva oportunidad de considerar una opción que no había sido considerada antes. Plantear la pregunta de esa manera introduce la opción como algo que se acaba de descubrir.

"*Si hiciéramos esto, ¿no representaría una ventaja para su familia?*"

"*¿No ahorraría este plan mucho tiempo y dinero en el futuro?*" Por supuesto que lo haría. Lo que usted quiere hacer es que la otra parte lo descubra, en vez de declararlo simplemente como un hecho.

"*¿Puede usted garantizarme que este es el precio más bajo disponible de este modelo de artículo? Si no es así, necesitaré pensarlo antes de tomar una decisión.*" Observe cómo la afirmación después de la pregunta refuerza particularmente la pregunta. Usted le está dejando saber a la contraparte que conoce o tiene otras alternativas. Ellos necesitan bajar su precio al máximo antes que usted salga y ellos pierdan la venta o la negociación. Hasta puede hacerle saber a la persona que usted tiene otra negociación por ahí, lo que les puede ayudar a ahorrar tiempo y energía.

4. Preguntas que permiten obtener más tiempo

Los negociadores expertos a veces hacen preguntas para extender un poco más el tiempo. Es posible que usted necesite más tiempo para pensar. O puede que por alguna otra razón el hecho de que transcurra algún tiempo obre para su ventaja. Las preguntas de este tipo pueden ser de las preguntas que piden información, pero el motivo va más allá. Es posible que una sola pregunta cumpla dos propósitos, cada uno con su propio fin. Haga la pregunta y deje que la otra parte conteste. Cualquier información que surja mientras usted gana tiempo es un bono extra.

Recuerde: La pregunta no debe dar la sensación a la otra parte que usted está ganando tiempo. Por ello, a menos que tenga una buena razón, evite hacer preguntas que no estén relacionadas con la transacción.

"¿Pudiera usted explicarme su oferta?" Con frecuencia las ofertas son modificadas una vez usted pide que se expliquen y lo más probable es que el cambio le convenga a usted.

"Hábleme sobre eso."

"¿Qué quiso decir exactamente cuando dijo...?"

"¿Cuál sería la situación ideal para usted?" Esta es una gran pregunta que le permite conocer las verdaderas necesidades y deseos de la otra parte. Entonces a la vez usted quizás quiera compartir su "situación ideal" en el contexto de la socialización.

"¿Pudiera usted repetir esa oferta?" Recuerdo que en una ocasión mi hijo Ryan puso un aviso en el periódico para comprar un arma cuando alcanzó la edad en que se permite cazar. Habló por teléfono con alguien que le ofreció un arma que quería vender. Ryan había hecho su tarea y se había preparado para pagar entre $75 y $100 dólares por el arma. Cuando el vendedor le mostró el arma era justo lo que Ryan había estado buscando y el vendedor le dijo: "Vale 50 dólares."

Ryan exclamó con admiración ante el precio tan bajo: "¿50 dólares?"

El vendedor continuó: "Está bien, te la doy en $40 si me cancelas ahora mismo.

Ryan no tardó mucho en darle los cuarenta dólares al mismo tiempo que aprendió una valiosa lección: siempre haga que se repita la oferta. Los buenos negociadores siempre hacen que se repita la oferta porque en muchos casos la oferta es cambiada a su favor (particularmente si es acompañada de un comentario – vea la página 180)

5. *Preguntas que guían o moldean el pensamiento*

Las preguntas bien planteadas pueden dirigir a la otra parte en la dirección exacta en que usted quiere que vaya. En vez de "decir" o "vender" las ventajas de su propuesta usted puede conducir a su contraparte a llegar a las conclusiones correctas. Una pregunta del tipo "¿Qué hay si...?" puede constituir una excelente técnica para dirigir el pensamiento de la otra parte. A la gente le encanta ser guiada pero le molesta que le digan lo que tiene que hacer. Aquí hay algunos ejemplos:

"Si usted estuviera en mi posición, ¿qué sugeriría?" Este tipo de pregunta que utiliza la estrategia de la participación activa (vea la página 177), hace que la otra parte se ponga en sus zapatos. Esta es una excelente pregunta que es favorable utilizar con las personas que demuestran empatía así como con las personas de las cuales uno sospecha que no se sienten muy bien de mirar las cosas desde la perspectiva de uno.

"¿Qué pasaría si tomáramos esta parte de su propuesta y esta otra de mi propuesta y las trabajáramos de esta forma?" Esta es una gran pregunta porque adopta algunas de las ideas de la contraparte y algunas de sus propias ideas y las combina en un plan que lo más posible es que les convenga a ambas partes. La forma como está planteada esa pregunta encaja muy bien con el enfoque de asociación planteado en la introducción (páginas 9 - 24) ya que incluye beneficios para ambas partes.

6. Preguntas que determinan la posición de la otra parte

En cualquier negociación, hay preguntas importantes que pueden y deben hacerse para determinar si la otra parte continúa en proceso de negociación o no. En un sentido significa obtener información, pero una información bastante específica (averiguar qué tan cerca se está a alcanzar un acuerdo). Por lo tanto, este tipo de pregunta está un poco separada de las demás funciones de las preguntas.

¿Qué se necesita para que... (funcione, cerrar el trato, quedemos conformes con el trato?) Estas preguntas es bueno plantearlas hacia el final del proceso de negociación, si en algún momento parece detenerse. Tenga cuidado de no arrinconar a la contraparte. Una pregunta como: *"¿Es esa su última oferta?"* puede hacer precisamente eso. En ese caso la contraparte no podría continuar haciendo concesiones y al mismo tiempo estar en posición de "guardar las apariencias".

"¿Qué parte de la propuesta (oferta, trato, transacción) es la más importante para usted?" Esta es una excelente pregunta para formular cuando se da cuenta que necesita hacer algunas concesiones, porque le ayuda a determinar qué concesiones hacer de acuerdo a las necesidades de ambas partes y a minimizar a la vez el "costo" para usted.

"Si perfeccionamos el trato, ¿cuándo le gustaría comenzar (entonces enumere las posibles opciones)?" Sin forzar a que la otra parte haga un compromiso final, esta pregunta avanza de forma amable hacia la meta que se quiere alcanzar y las partes pueden proyectar más claramente la celebración del trato.

"¿Existe una forma en que podamos hacer esto?" Esta es una excelente pregunta para cuando uno está detenido frente a un obstáculo.

"¿Hay aquí oportunidad de hacer algún arreglo adicional?" Esta

pregunta ayuda mucho cuando surge un problema y no se puede hallar una buena solución. Usted está intentando salvar las cosas para obtener beneficios mutuos.

"Si yo hago esto por usted, ¿qué puede hacer usted por mí?" Una muy buena pregunta ante un obstáculo. Esta concesión condicional (vea la página 127) suministra una excelente oportunidad para hacer intercambios del tipo gana-gana.

"¿Cuál es su oferta?" Haga esta pregunta cuando para usted resulte en una ventaja hacer que la otra parte haga la oferta inicial (vea la página 201). Los agentes de ventas llaman a este tipo de preguntas de cierre, pues son de las que deben hacerse hacia el final de una negociación, cuando sea el momento de determinar si la otra parte está llegando a un momento de cierre con usted. Otros ejemplos de este tipo de preguntas son:

—*"¿Le gustaría hacer un pedido especial o los artículos en gris y azul que tenemos en el inventario cumplen con sus necesidades?"*

—*"¿Necesita usted ocupar el inmueble inmediatamente o está bien tenérselo listo quince días después de firmar el contrato?"*

—¿Cancela en efectivo o con tarjeta de crédito? ¿Prefiere otro método de financiación?

"¿Qué razones tiene para hacer esta oferta (asumir esta posición)?" Esta pregunta ayuda a identificar las verdaderas necesidades de la otra parte y ayuda a separar sus necesidades de su postura. Como lo consideraremos en el capítulo 12, las posiciones son mucho más difíciles de satisfacer que las necesidades.

Por ejemplo, la posición de la otra parte es: "No aceptaremos su oferta." En un intento por satisfacer esa posición usted pudiera asumir que debería (1) reducir el precio, (2) prestar servicios adicionales, o (3) bajar la tasa de interés. La verdad es que ninguna de estas tres cosas va a satisfacer las necesidades de la contraparte, lo que representa recibir menos ingresos. Sería más fácil satisfacer sus necesidades si usted hace a la contraparte la pregunta correcta y permite que sean ellos quienes expliquen lo que desean. Intentar satisfacer la postura es algo como "intento-error." Es mejor tomarse el tiempo y averiguar la razón detrás de su postura. Si usted no lo hace, pudiera terminar haciendo concesiones (precios, servicios adicionales, tasas de interés) costosas en vano. Separe las posiciones de las necesidades. Preguntas como las que hemos considerado en este encabezado pueden ayudar a lograr precisamente eso.

Existen, por supuesto, otras razones para hacer preguntas en una negociación, pero casi todas coinciden con las seis categorías descritas arriba. Esta sección contiene dos puntos importantes. Primero, existen muchas razones para hacer preguntas diferentes a las de simplemente obtener información. Esté al tanto de estas preguntas. Utilícelas. En segundo lugar, los negociadores expertos pasan mucho de su tiempo de negociación haciendo preguntas y explorando más que simplemente respuestas de información. En su próxima negociación, observe la cantidad de tiempo que dedica a hacer preguntas. Dedique más tiempo a hacer preguntas. Dedique tiempo a aprender a plantear mejores preguntas.

Comience por hacer una lista de preguntas que funcionen en su profesión o en el tipo de negociaciones en las que usted normalmente participa. Apréndalas de modo que se hagan naturales. Usted notará que de forma automática e instintiva se hace más diestro para formular preguntas. Ciertamente podemos citar de nuevo las palabras de Voltaire, quien dijo: "Evalúa al hombre por sus preguntas, en vez de por sus respuestas." Los negociadores expertos perfeccionan sus preguntas, desarrollan técnicas y continuamente alimentan sus listados de preguntas efectivas.

OPCIONES PARA CONTESTAR PREGUNTAS

Hasta ahora hemos estado considerando el importante proceso de hacer preguntas en una negociación; pero, ¿qué hay del otro lado? Si un buen negociador hace muy buenas preguntas, también debe ser experto en saber contestarlas. Prácticamente en todas las circunstancias se deben suministrar respuestas completas y directas. Sin embargo, hay ocasiones donde un negociador experimentado elige no contestar la pregunta, al menos de forma directa en el momento en que ésta es planteada. Algunas de las razones para que usted no conteste una pregunta inmediatamente son:

- No cuenta con suficiente información para contestar de la forma correcta.
- Necesita tiempo para formular una respuesta que respalde su postura.
- En algunas negociaciones es bueno contar con un tiempo de ventaja.
- Necesita suministrar a la contraparte más información para que pueda entender mejor su postura.

A continuación se explican seis opciones creativas cuando se desee evitar dar una respuesta.

1. Conteste la pregunta formulando otra pregunta

"Esa es una pregunta interesante. ¿Por qué lo pregunta?"

"¿Cómo le gustaría que yo contestara esa pregunta? No estoy muy seguro de lo que está preguntando." Observe que la declaración que sigue a la pregunta suaviza y esclarece la intención de la pregunta.

"¿Ah? o ¿Cómo dice?" La ventaja de estas preguntas cortas es que la atención no se enfoca en usted (cuando a usted se le hace la pregunta inicial). El uso apropiado de estas preguntas se hace cuando usted no entiende o no sabe la información.

Usted también pudiera hacer una pregunta relacionada específicamente con el contenido de la pregunta hecha, por ejemplo, "Cuando tú dices "problemas", ¿te refieres a los problemas antes o después de los cambios que hicimos?" o "¿Tienes una copia de la cotización? ¿Puedo verla? Si yo me volviera cliente, ¿te importaría si consulto una segunda opinión?"

2. Demórese

"Esa es una buena pregunta y deseo contestársela, pero a fin de darle una respuesta más precisa necesitamos considerar..." Usted tiene el derecho a demorar la respuesta a una pregunta con justa causa. Por ejemplo, es posible que necesite demorar la respuesta hasta cuando tenga las circunstancias cuando la contraparte entienda mejor la respuesta. Resulta muy difícil entender algebra 3 cuando no se han visto algebra 1 y 2.

3. Conteste una pregunta diferente

A veces se llama a esta estrategia la "técnica del político," ya que es muy común en épocas de elecciones. Funciona de la siguiente manera: *"Esa es una buena pregunta. Lo que me pareció entenderle fue..."*, y en seguida la persona procede a proponer la pregunta desde la perspectiva en que la quiere contestar. No le estoy sugiriendo utilizar esta técnica. Pienso que es una manipulación y yo mismo no la usaría, pero, ¡cuidado! La pueden utilizar con usted. Cuando eso ocurra, puede decir: *"No, esa no es la pregunta que yo hice. Lo que yo pregunté fue..." (Y repita la pregunta).*

4. Rehúse responder

Recuerde, usted siempre tiene el derecho de no contestar. A fin de mantener una relación de asociación positiva con la otra parte puede decir: *"No, no puedo contestar esa pregunta porque..."*

> *"... yo no sé la respuesta."*
> *"... no es una pregunta justa."* (Tal vez usted quiera explicar por qué no le parece justa.)
> *"... es información confidencial."*

A fin de conservar las relaciones de sociedad no tema decir no. No obstante dé las razones para no contestar.

5. Pida que se repita la pregunta o se explique

Esta es una técnica excelente ya que los negociadores expertos saben que cuando se pide que una pregunta se repita, con frecuencia se cambia el proceso. Asegúrese que entiende la pregunta antes de contestarla. No titubee en decir: "No entiendo." No asuma nada. Es mejor parecer desinformado que asumir uno lo comprende todo.

6. Permanezca en silencio

Todos estamos familiarizados con la frase "El silencio es oro" y esto es particularmente cierto cuando se hacen preguntas. ¿Ha observado cómo se aumenta la presión cuando se hace una pregunta? Al principio toda la presión recae sobre la persona a quien se formula la pregunta, pero a medida que el tiempo pasa, la presión se va transfiriendo gradualmente. Entre más tiempo transcurra sin emitir una respuesta, más presión se transfiere sobre la persona que planteó la pregunta. En esas circunstancias, ¿qué es lo que ocurre normalmente? Con frecuencia la persona que hizo la pregunta termina contestando la pregunta ella misma o la formula de nuevo de una manera que resulte más fácil contestarla.

> "RECUERDE NO SOLO DECIR LO CORRECTO
> EN EL MOMENTO JUSTO Y EN EL LUGAR
> APROPIADO, PERO MÁS DIFÍCIL AÚN, RECUERDE
> DEJAR SIN DECIR LA COSA EQUIVOCADA EN
> EL MOMENTO EQUIVOCADO."
> — BENJAMÍN FRANKLIN

2

LAS CLAVES PARA ESCUCHAR EFICAZMENTE

> *"Tenemos dos oídos y una lengua;*
> *esto es para escuchar más y hablar menos".*
> — DIÓGENES

He aquí un asunto sobre el cual meditar: un gran negociador es sobre todo una persona que sabe escuchar y saber hacer las preguntas correctas es un asunto muy importante, pero estas carecen de valor si uno no sabe escuchar con preparación sus respuestas.

El doctor Lyman Steil es considerado por muchos la persona más experta sobre el asunto de escuchar. Su fórmula para escuchar de forma efectiva es $E = (H \times D)^2$. Escuchar equivale a la habilidad multiplicada por la disposición al cuadrado. Allí aparecen los dos factores que determinan la habilidad para escuchar con eficacia. Un elemento sin el otro es exponencialmente menos efectivo. Consideremos ambos factores.

La habilidad de escuchar es una habilidad que se aprende. Es algo que puede mejorarse a través del estudio y la práctica de técnicas para escuchar. La mayoría de este capítulo estará dedicado a examinar y aplicar técnicas para escuchar.

Por otra parte, *la disposición a escuchar,* es una función del deseo y la motivación de uno. Sin el deseo o la disposición a escuchar, nuestra capacidad para captar la información se hará irrelevante a pesar que se cuente con la habilidad para escuchar.

La motivación o disposición hacia escuchar no es algo que resulte natural para la mayoría de la gente. Una gran cantidad de personas se sienten más inclinadas a hablar que a escuchar. Este es el pensamiento típico: "Si yo logro ser persuasivo en las cosas que digo puedo convencer a la otra parte respecto a lo que se necesita para completar exitosamente esta negociación y así satisfacer mis necesidades." Básicamente esta forma de pensar está errada en tres aspectos:

- Usted va a desperdiciar tiempo valioso en intentar convencer a la otra parte de cosas que esta ya concordó o de las cuales se debe preocupar menos.
- Usted está asumiendo que sabe lo que la contraparte necesita para alcanzar el acuerdo. Esta asunción es particularmente incorrecta o por lo menos incompleta.
- Usted estará tan concentrado pensando en lo que va a decir que difícilmente va a poder concentrarse en lo que la otra parte va a decir.

Antes que la negociación comience, investigue tanto como pueda respecto a las necesidades de la otra parte. Una vez haya comenzado, su mejor herramienta de investigación será escuchar, combinada con la formulación de preguntas eficaces para, de esa manera, poder entender las necesidades de la contraparte. Satisfacer esas necesidades es la clave de la mayoría de las negociaciones exitosas.

Ahora examinemos algunas de las técnicas básicas para aumentar la capacidad de escuchar.

1. Asuma la responsabilidad predominante en el proceso de comunicación como la parte que escucha.

Actúe como si usted tuviera la responsabilidad de alcanzar el éxito en la comunicación. Esto significa que si usted no entiende lo que la otra parte está diciendo debe solicitar y obtener la información necesaria para aclarar las dudas. Considere el proceso de comunicación como su responsabilidad personal y haga lo que sea necesario para asegurar comunicación completa y efectiva.

Con frecuencia los participantes en los seminarios o programas de entrenamiento lo hacen muy bien aplicando este principio. Sencillamente levantan la mano y dicen que no entienden. Yo aprecio eso. A pesar del hecho que me considero a mi mismo un buen comunicador, con frecuencia encuentro que en la audiencia hay personas que no entienden lo que digo. Cuando alguien pregunta todo el mundo gana. El entendimiento se sobrepone a la confusión y esto se logra porque un participante ha asumido la responsabilidad predominante de ser quien escucha.

2. Esté atento a los momentos de valor mientras escucha (MVE)

Todas las personas que se proponen escuchar provienen de entornos diferentes, tienen diferente disposición de ánimo, así como perspectivas diversas. Cuando escuchamos, algunos elementos se convierten en gemas de información debido a que revelan detalles importantes sobre las necesidades de las otras personas. El doctor Steil llama a esto los momentos valiosos del escuchar (MVE). Las personas que son buenas para escuchar son conscientes de tales momentos y están pendientes de capturarlos. Mire a ver si puede captar el MVE en la siguiente declaración: "No estoy muy seguro de lo que pueda funcionar en nuestro caso, estamos a punto de cambiar todas nuestras herramientas para satisfacer las normas gubernamentales. Y esto es particularmente importante para nosotros en vista que nuestro presupuesto ha sido reducido en todas las áreas." En esa declaración hay dos MVE que potencialmente suministran información sobre las necesidades actuales de la organización (cambiar las herramientas y presupuesto reducido). ¿Puede usted utilizar esa información para satisfacer las necesidades de ambas partes? Lea entre las líneas y observe cómo se dicen las cosas y lo que se dice. Lea el lenguaje corporal (vea el capítulo 8). Los MVE con frecuencia son la información clave que determina el resultado de una negociación.

Me encanta leer las evaluaciones después de un seminario o de un taller. Una de las preguntas del formulario dice: "La idea que encontré más útil fue _____." Casi siempre la respuesta a esa pregunta por parte de cada participante es diferente y esto a pesar que todos escucharon la misma presentación. ¿Por qué? Sencillo, diferentes momentos de valor para diferentes personas. Los buenos negociadores están pendientes de los MVE.

3. Tome notas

Alguien que es un buen oidor toma notas por muchas razones:

En primer lugar, crea un registro permanente. Un negociador toma control de la negociación cuando dice: "De acuerdo a las notas que tomé en nuestra conversación telefónica del 27 de agosto a las 9: 30 AM, usted dijo..." Las notas constituyen un registro organizado de las conversaciones pasadas y con frecuencia esa pequeña diferencia se convierte en la gran diferencia.

Reducir las cosas a la escritura ayuda a cristalizar el pensamiento, el cual ayuda a entender mejor las necesidades de la otra parte. También le ayuda a ser más articulado respecto a expresar sus propias necesidades y lo que puede hacerse para llegar a un mutuo acuerdo.

Finalmente, los educadores nos dicen que aún si más tarde no nos remitimos a nuestras notas, estaremos en mejor condición de recordar las cosas que escribimos.

Sin embargo, en este punto debo mencionar que existen dos buenas razones para, en algunas situaciones, no tomar notas. La primera tiene que ver con la importancia de leer el lenguaje corporal, lo que se hace difícil si se toman notas. La segunda tiene que ver con mantener contacto visual, el cual dice: "Me interesa," "Puedes confiar en mí." Estaremos considerando estos dos aspectos en el capítulo 8. Tenga en mente estos dos factores cuando decida tomar nota en una negociación.

4. Haga planes para informar

Una de las formas más eficaces de mejorar la habilidad para escuchar es haciendo planes para informar lo que se escucha. Esto es útil aún si no hay nadie a quien se deba informar. ¿Por qué se hacen exámenes en los salones de clase? Sencillo. Los profesores y los capacitadores han aprendido que la gente escucha con más atención cuando más tarde tienen que informar lo aprendido. Cuando usted quiera escuchar más atentamente haga planes para informar.

5. Cuando surjan distracciones vuélvase a concentrar

Las distracciones surgen principalmente porque no se está escuchando con total atención. Algunas personas tienden a distraerse más que otras. Las personas que son buenas para escuchar se acondicionan de antemano de modo que si ocurre una distracción, inmediatamente logran concentrarse de nuevo en la comunicación. Las distracciones comunes incluyen las particularidades en la forma como la otra persona habla o viste; si tiene algún manierismo; si hace algún ruido, o movimientos que de algún modo distraen. Durante una negociación, los buenos oidores preparan su mente para estar alertas de modo que puedan contrarrestar dichas distracciones y concentrar su atención inmediatamente en lo importante.

6. Identifique y utilice una estructura o estilo de comunicación

Por naturaleza muchas personas tienden a preferir un estilo de comunicación estructurado. Un oidor experto identifica ese estilo en las primeras etapas del proceso de comunicación y lo utiliza para entender mejor a la otra parte y para estructurar las ideas de modo que le entiendan mejor. Y no solo entenderá de forma más rápida a la otra parte, sino que también podrá adaptar su estilo de comunicación al de la contraparte para lograr mayor efectividad. Algunos ejemplos de comunicación pueden ser:

Enumeración

Implica la elaboración de listas o la enumeración de elementos. Usted probablemente ha notado que yo tiendo a comunicarme de esta manera. Por ende, mucho del material presentado a través de este libro se presenta a través de la enumeración. Es posible que me entienda mejor porque ya sabe qué puede esperar.

Problema — causa — efecto — solución

Muchas personas utilizan esta secuencia de comunicación para presentar sus ideas. Por ejemplo, "Nuestro problema de... es causado por... lo que resulta en... y podemos resolverlo mediante..."

Espacial / ilustrado

A algunas personas les gusta representar imágenes visuales cuando hablan, de la misma manera que lo hace un pintor con el lienzo. Cuando el oidor experto escucha esas descripciones visuales, puede alternar su estilo habitual de escuchar y valerse de sus facultades de visualización como ayuda para la comprensión. Tal vez opte por describir las cosas de forma visual ya que percibe que la otra parte lo prefiere así.

7. Identifique las culturas y las tradiciones

Los antecedentes personales, sociales y políticos de un individuo juegan un papel preponderante en el proceso de comunicación. Las emociones, tanto positivas como negativas son motivadas principalmente por los siguientes factores:

- Personales (raza, color, credo, origen nacional, edad, sexo, etc.)
- Asuntos (política, religión, bienestar, inmigración, etc.)
- Idioma (acentos regionales y nacionales, pronunciaciones, habla en tono alto o bajo, etc.)

Un buen oidor es aquel que está consciente de estos aspectos y de las respuestas positivas o negativas que se puedan generar como consecuencia. Gracias a que he tenido la oportunidad de viajar a varios países, he podido observar de primera mano las costumbres, tradiciones y manierismo de varias culturas. Obviamente, cada uno de estos factores afecta las formas de negociar. Una de las herramientas más útiles para conocer más acerca de la cultura de un país al cual uno viaja son los cultugramas. Son plegables de cuatro a seis páginas que suministran claves importantes que un extranjero debería saber antes de viajar a un país por descanso o por negocios. No piense que la brevedad de este capítulo compromete su importancia. Recuerde el punto primario:

La motivación constituye el factor más importante para aumentar su efectividad al escuchar.

Le estimulo a lograr el dominio de las siete técnicas para escuchar que se explican aquí y a que se resuelva a escuchar más atentamente en su próxima negociación. Muchos lectores y participantes de mis seminarios han informado que esta sección les ha ayudado a ser más efectivos en las demás áreas del proceso de negociación. Le aseguro que sus habilidades para negociar se mejorarán y con ello, sus habilidades para escuchar. Notará además, que cuando la eficacia se incrementa, la motivación para escuchar se incrementa aún más.

....

"SI YO ESCUCHO, TENGO LA VENTAJA. SI YO HABLO, OTROS LA TIENEN."
— ANÓNIMO

....

3
FACTORES DE PODER

"Si usted va a contender, no permita que lo conduzcan a la negociación. Pero si usted va a negociar, no permita que le hablen de forma contenciosa."

— ABRAHAM LINCOLN

Una vez que se hayan determinado las necesidades de la contraparte (a través de las técnicas de las preguntas y de escuchar), el siguiente paso es determinar el poder de cada parte. Comprender los diez factores de poder es un asunto crítico en este proceso. Estos factores suministran el terreno sobre el cual planear la negociación. Si uno no conoce quién tiene el poder y por qué, ha perdido antes de comenzar. Al conocer los factores de poder, usted puede determinar el poder de la otra parte y maximizar su propio poder. En la descripción de cada factor, usted aprenderá mediante ejemplos, a utilizar el factor de poder conveniente para lograr la ventaja. Una vez adquirido este conocimiento, los capítulos restantes de este libro le darán las herramientas necesarias para cerrar exitosamente sus negociaciones. Usted podrá fortalecer sus estrategias de negociación aplicando estos factores.

Ocasionalmente en algunas negociaciones, varios de los factores que afectan el poder no estarán bajo su control. Sin embargo, es poco común la negociación donde uno o más de los factores no obren a su favor. No obstante, es importante conocerlos todos y saberlos dominar.

EL PODER DE LA ALTERNATIVA

Nada incrementa más su poder en una negociación que tener alternativas buenas y viables. Nunca vaya a una negociación sin tener al menos una alternativa considerable a primera propuesta. En otras palabras: ¿qué va a hacer usted si no llega a un acuerdo con la otra parte?

Ejemplo: Usted está comprando un vehículo nuevo. El distribuidor cercano a su hogar tiene exactamente el vehículo que usted desea en color, estilo y todos los accesorios que le gustan. También tiene el mejor departamento de servicio del área, un factor importante para considerar. Su esposa está maravillada con el vehículo, ¿El escenario perfecto para negociar, no es verdad? ¡Incorrecto!

Usted no se está permitiendo tener alternativas. Esto lo pone en la peor posición posible para negociar. Aquí hay algunas alternativas prácticas:

- Llame al segundo distribuidor más cercano y explíquele su situación, es decir, usted está planeando comprar el vehículo a su distribuidor local pero usted escuchó que éste tiene algunas ofertas asombrosas. Usted quisiera conocerlas, así como consultar con otros distribuidores antes de tomar una decisión final. ¿No le vendría bien al segundo distribuidor una pequeña ganancia de una venta potencial que se presentó por casualidad?
- Acuda al distribuidor que sea el más competitivo en relación con el vehículo que usted quiere comprar. Utilice el mismo procedimiento mencionado arriba.
- Busque por Internet el vehículo que usted quiere (o el más parecido al que quiere). Obtenga un precio de referencia.

Armado con las opciones mencionadas (y quizás otras que haya averiguado), usted está mejor preparado para acudir al distribuidor original teniendo a mano algunas alternativas realistas. Usted no está a merced del vendedor y no necesita indispensablemente *su* vehículo.

Otro ejemplo: Considere lo que hizo hace unos años la Liga Nacional de Fútbol en respuesta a la huelga de los jugadores y las subsecuentes peticiones. Ellos plantearon una alternativa creativa y contrataron a otros jugadores a los que muchos consideraban pésimos. Así pudieron cumplir con los juegos programados a pesar de la huelga de los jugadores regulares. ¿Una buena alternativa? Yo no sé... pero de seguro les dio poder en la negociación. La gerencia pudo salir adelante porque estuvieron en capacidad de mostrarles a los jugadores en huelga que tenían una alternativa.

> **Nunca entre en una negociación sin tener al menos una buena alternativa.**

EL PODER DE LA LEGITIMIDAD

El poder de la legitimidad puede convertirse en un factor de peso en el resultado de la negociación. Con frecuencia se le conoce como el poder de la credibilidad. ¿Qué hace que una compañía, organización o individuo tengan legitimidad? Al menos hay tres factores que inciden en ello. Utilícelos según le resulte conveniente al momento de prepararse para una negociación.

El poder de llevar un registro de desempeño

Es muy difícil discutir con el éxito. Un registro de desempeño sobresaliente e incuestionable construye la credibilidad. ¿Cómo demostrar ese registro de desempeño a la contraparte? Cada situación será diferente, no obstante, hacerlo es parte importante del proceso de negociación.

Ejemplo: Usted está consciente que todas las alternativas envuelven riesgo potencial para la contraparte y planea su estrategia para enfatizar, al principio de la negociación, cuán libre de riesgos es su alternativa. Tal vez se pueda preguntar (si no es evidente) cómo se compara su propuesta con otras alternativas.

Otro ejemplo: Nunca deja de sorprenderme el ver cuántas organizaciones están deseosas de contratarme como conferencista, basándose en el hecho que ciertas otras organizaciones lo han hecho. Ellos conocen los métodos de selección que esas compañías tienen para seleccionar a sus oradores.

El poder de la referencia

Lo que dicen las demás personas también puede contribuir enormemente a su legitimidad.

Ejemplo: El buscar la recomendación de celebridades bien conocidas constituye una técnica de publicidad muy eficaz, lo cual pone millones de dólares en las manos de los anunciantes y millones de dólares en las manos de las celebridades cada año. En una escala menor, la recomendación del presidente de una compañía reconocida o de alguien que sea conocido y respetado en el ámbito de acción, puede construir la legitimidad del receptor.

Otro ejemplo: La publicación *Consumer Reports* (El boletín del consumidor) es considerada por muchos una de las mejores fuentes de información independientes sobre productos y servicios. Asumamos de forma hipotética que usted estuviera considerando la posibilidad de comprar un automóvil y que inicialmente prefiere un Lexus. Tal vez se sentiría persuadido a reconsiderar el asunto si un agente comercial de Lincoln le señalara un artículo en *Consumer Reports* en el cual se compara detalle a detalle ambas marcas, y en el cual la superioridad del Lincoln es evidente. Si el agente comercial simplemente hubiese expuesto las razones sin aportar evidencia, es probable que usted hubiera estado menos dispuesto a reconsiderar el asunto.

El poder de los títulos

Utilice su título, grado profesional, designación o logros para fortalecer su legitimidad.

La posición que se tenga en la compañía como Presidente, Gerente financiero, Gerente general, Jefe de la junta, Vicepresidente comercial.

Un grado o logro académico como por ejemplo, Doctorado, Maestría en administración de negocios, Médico cirujano, Licenciado, Maestría, Director general, etc.

Una licencia como Contador público titulado o Enfermera profesional.

Un premio como Pulitzer, una medalla olímpica de oro, el ser miembro de la Mesa redonda del millón de dólares, un reconocimiento como el mejor empresario u hombre del año.

Aparte de promover los "títulos" de arriba de forma escrita, usted también los puede promover en conversaciones como en los siguientes ejemplos:

"Eso me ocurrió el mismo año que ingresé a la Mesa redonda del millón de dólares."

"Ella dijo, "Doctor Hennig, ¿puedo hacerle una pregunta?""

"Como Gerente financiero de la organización era mi responsabilidad..."

En mi pequeña organización utilizamos títulos como Vicepresidente de ventas, Gerente y Coordinador nacional. ¿Y por qué lo hacemos? Esos títulos aportan legitimidad. Cierto día mi asistente me dijo que habían llamado de la organización Walt Disney preguntando por un programa sobre negociación. Yo estaba ausente en el momento, de modo que ella regresó la llamada diciendo. "Habla Shirley Moore, la coordinadora nacional del doctor Hennig."

¡Qué acierto! Inmediatamente la comunicaron con el vicepresidente que había llamado y acordaron una cita. ¿Y cómo ocurrió todo eso? En parte, todo ello se debió a la "legitimidad" de un título.

HAGA TODO LO QUE ESTÉ A SU ALCANCE PARA CONSTRUIR EL PODER DE LA LEGITIMIDAD

EL PODER DEL RIESGO

El nivel de riesgo que cualquiera de las partes pueda asumir (o esté dispuesta a asumir) determina en gran medida quién tiene el poder en una negociación.

Ejemplo: Compare estas dos situaciones. En la primera, los dueños de una corporación deciden vender una de sus divisiones y determinan que pueden reducir el precio de la negociación solo en un cuatro por ciento para lograr el acuerdo. En otro escenario, los dueños de la corporación acuerdan reducir el precio hasta en un 15% ya que consideran imperativo vender la división en un término de tres meses.

Los dueños del primer escenario están dispuestos a asumir un mayor riesgo. Su porcentaje de negociación reducido puede implicar que la división no se venda. Pero, puesto que están dispuestos a asumir ese riesgo mayor, se les aumenta su posición como negociadores. Es posible que no logren la venta, pero si lo hacen, habrán obtenido un precio de venta mucho más alto.

Otro ejemplo: En mis seminarios, suelo demostrar ese poder de riesgo a los participantes. Le doy a cada miembro de la audiencia diez a uno de ventaja en un lanzamiento de moneda que constituye probabilidades de 50-50. Así es como funciona:

Si la moneda cae a su favor, yo les doy $1. 000,000 en efectivo. Si la moneda cae mi favor, ellos me dan $100,000 (yo me esfuerzo por dejarles bien claro que esta es una situación hipotética). Entonces les pregunto: "Si la oferta fuese real y yo tuviera el dinero para entregarlo, ¿cuántos de ustedes estarían dispuestos a aceptar el trato?"

Menos del 10% en el auditorio suelen aceptar la oferta.

¿Por qué? Ciertamente no es porque no quieran tener $1.000,000; y no es que la oferta no sea buena. Sencillamente es porque no se pueden dar el lujo de tomar el *riesgo*. ¡Imaginen lo que significaría tener que llamar a su esposa y decirles que acudan con $100,000! A ella no le haría mucha gracia que la oferta hubiese sido diez a uno en un tiro 50-50.

Entonces yo cambio la situación un poco.

"Cambiemos las cantidades. Diez dólares para usted si cae a su favor y un dólar para mí si cae a mi favor."

En el segundo caso siempre obtengo un 100% de respuesta aceptando el trato. ¿Qué hizo la diferencia? Ellos pueden *permitirse* el riesgo de perder un dólar.

Después, durante el receso, es muy común que se me acerque un par de individuos para decirme: "Hemos cambiado de decisión, vamos a asumir el riesgo del millón de dólares." En esos casos, ¡ellos llevan la delantera, yo tengo todo para perder!

¿Qué hicieron estas personas? Sencillo, encontraron la forma de reducir el riesgo, y si el asunto no fuera hipotético, tendrían $1.000,000 para dividir entre los dos.

Lo mismo es cierto en cualquier negociación. La persona que está en condiciones de asumir el riesgo más alto, está en condiciones de dominar la negociación. Ahora bien, con esto no estoy sugiriendo que usted deba asumir más riesgos. Esa es una decisión que usted tendrá que tomar. Sin embargo, permítame decirle que mientras mayor riesgo pueda asumir (o esté dispuesto a asumir) en una negociación, mayor poder tendrá.

Muchos negociadores expertos me han dicho que la lección más importante que han aprendido de mis seminarios, libros, o CDs, es la del poder del riesgo. Algunos han dicho: "Antes solía cerrar ocho de cada diez tratos. Ahora solo cierro siete de cada diez. No obstante, la rentabilidad que me producen estos siete es mucho mayor que la rentabilidad que me producían los ocho."

> **MIENTRAS MAYOR RIESGO PUEDA ASUMIR, O ESTÉ DISPUESTO A ASUMIR EN UNA NEGOCIACIÓN, MAYOR PODER TENDRÁ.**

Otro ejemplo: Un amigo joven se me acercó para pedir ayuda en la negociación de la primera casa que iba a comprar para su familia. Consideraba que unas pequeñas sugerencias de negociación le ayudarían a ahorrara varios miles de dólares. El vendedor estaba pidiendo $150,000 dólares por la casa. Yo le pregunté al joven cómo se sentía en cuanto al precio.

Contestó: "Es fantástico, en realidad es una ganga." Luego indicó que su familia había deseado durante varios años tener una casa como esta y no había sido posible. También dijo que hasta habían estado considerando la posibilidad de construir una casa pero que no pensaba que pudieran construir una como la de la oferta. Yo le pregunté cuánto costaría construir una casa así.

Me dijo, "Alrededor de unos $225,000 dólares."

Entonces le pregunté qué sucedería si alguien más viniera esa tarde y comprara la casa.

"¡Eso sería un desastre!"

El hombre tenía dos opciones.

- Comprar la casa de inmediato. Esto le permitiría ahorrarse $75,000 sobre su MAAN (mejor alternativa al acuerdo de negociación); es decir, construir una casa similar ($225,000 - $150,000 = $75,000).

- Intentar negociar un mejor precio por la casa (por decir algo, $140,000), lo cual, si resultase exitoso, le permitiría a mi amigo la ventaja de ahorrarse $85,000 sobre su MAAN.

¿Mi consejo para él? No valía arriesgar $75,000 de ahorro por la posibilidad de ahorrar $10,000 más.

EL PODER DEL COMPROMISO

Aquí es importante diferenciar dos clases de compromiso: El compromiso de llegar a un acuerdo y el compromiso personal con la propia posición de uno.

El compromiso para llegar a un *acuerdo* es importante para ambas partes. Pero como el gran negociador Herb Cohen dice: "Tienes que quererlo... pero no demasiado." Esto aplica definitivamente a nuestro deseo de llegar a cualquier tipo de acuerdo. Si concretar un acuerdo se convierte en una necesidad para usted, estará en una posición de desventaja (si la otra parte está al tanto de ello.) Intente no estar (o al menos no parecer) demasiado comprometido con llegar a un acuerdo.

Por otra parte, si usted demuestra estar fuertemente comprometido con *su posición* eso le dará más poder.

Recuerde, puede haber una diferencia entre el *verdadero* compromiso y el compromiso que se demuestra. Es posible que la otra parte tenga solo la necesidad de parecer firme en la oferta inicial. No obstante, si ellos demuestran compromiso firme con su posición, obtienen más poder en la negociación. Es probable que usted diga: "Cielos, de verdad se ven muy comprometidos con su posición, tal vez no consiga lo que pensé que conseguiría de ellos." Entonces usted empieza a reconsiderar sus expectativas. En poco tiempo, una de las partes obtiene el poder a través de enviar el mensaje a su contraparte que tiene un fuerte sentido de compromiso hacia su posición. Solo usted puede decidir cuánto nivel de compromiso decide demostrar con respecto a su posición.

Entre más sentido de compromiso demuestre usted para con su propia posición, más fuerte será esa posición. Recuerde, sin embargo, que un compromiso demasiado fuerte manifestado hacia el final de la negociación puede resultar en que el acuerdo nunca se haga. De modo que si usted adopta ese enfoque, esté preparado para no terminar la negociación.

Ejemplo: Retomemos la negociación entre la Liga Nacional de Fútbol y la gerencia que consideramos unas páginas atrás. Al principio de la negociación los jugadores demostraron un fuerte compromiso con su posición. Estaban unidos y firmes pero a medida que la temporada empezó a transcurrir y los nuevos jugadores empezaron a participar en las competencias, muchos jugadores empezaron a darse cuenta que sus salarios por esos encuentros nunca les serían abonados. Eso empezó a afectar grandemente su bolsillo. Así que, de forma gradual, cada vez más jugadores empezaron a regresar a jugar con el equipo. Eso significó menor compromiso para el comité negociador del equipo. De modo que, el nivel de compromiso que se demuestre puede incidir en el éxito de la negociación, como un papel determinante.

EL PODER DEL CONOCIMIENTO

El conocimiento representa poder en una negociación. Entre más conocimiento tenga, mayor poder tendrá. En el ámbito de las negociaciones existen tres áreas del conocimiento particularmente importantes que son: El conocimiento del tema, el conocimiento acerca del proceso de negociación y el conocimiento acerca de la situación de la contraparte.

Conocimiento del tema

Hasta el negociador más experimentado pierde su objetivo si no logra entender plenamente el tema sobre el cual está negociando.

Si el tema es finca raíz, estudie finca raíz.

Si son los automóviles, estudie los automóviles.

Si es construcción, estudie construcción.

Si es contaduría, estudie contabilidad.

Si usted no tiene suficiente conocimiento sobre el tema o el producto que está negociando, solicite ayuda de un experto.

Conocimiento sobre negociar

Tener conocimiento acerca de las estrategias de negociación constituye una parte importante del proceso, por ejemplo:

- Estrategias y tácticas así como la forma de contrarrestarlas.
- Alternativas para vencer un impase.
- Técnicas efectivas para hacer preguntas.
- Instrucciones para hacer concesiones.
- Estrategias para negociaciones en equipo.

Leer y practicar las sugerencias de este libro le proporcionará conocimiento sobre estos temas y por ende, usted podrá aumentar su poder de negociación.

Conocimiento sobre la contraparte

Expresado de forma sencilla, entre más conocimiento tenga usted de la contraparte y de su situación, mayor poder tendrá. El conocimiento específico sobre la otra parte incluye:

- Estilo personal.
- Características de comportamiento.
- Hábitos de negociación, gustos, aversiones.
- Necesidades y deseos para cada negociación en particular.
- Sus alternativas si no llega a un acuerdo con usted.

Existen dos maneras de obtener información sobre la otra parte: (1) Realice tanta investigación como pueda de la otra parte antes de la negociación, y (2) Haga las preguntas correctas (vea el capítulo 1) y escuche cuidadosamente las respuestas (vea el capítulo 2).

EL PODER DE LA EXPERIENCIA

Si usted no tiene el poder del conocimiento utilice el poder de la experiencia.

Ejemplo: Hace varios años atrás, mi gerente utilizó el poder de la experiencia para obtener ventaja. Ella estuvo implicada en un accidente donde su automóvil quedó completamente destruido y el agente de seguros iba a visitarla para acordar el avalúo de la reclamación. Mi gerente me dijo que no era muy buena negociadora de modo que me pidió estar presente para que no se aprovecharan de ella. De igual forma, ella no sabía mucho sobre los precios de los automóviles y por eso le pidió a un agente distribuidor estar presente. Póngase en la posición del avaluador de seguros. Rápidamente se dio cuenta que Linda tenía en su equipo un experto en negociaciones y un experto en precios de automóviles. El distribuidor de autos habló muy poco y yo también. El avaluador no estaba de muchos ánimos para tener discusiones con dos expertos. En poco tiempo Linda hizo un gran arreglo. Ella carecía del poder del conocimiento pero lo compensó utilizando el poder de la experiencia.

EL PODER DE LA RECOMPENSA (O EL CASTIGO)

El doctor Jim Tunney, anterior presidente de la National Speakers Association (Asociación Nacional de Conferencistas) y anterior árbitro de la Liga Nacional de Fútbol, narra una historia impresionante del poder de la recompensa. Durante un banquete, donde más tarde habría de pronunciar un discurso, solicitó al camarero una porción adicional de mantequilla. El joven contestó: "Una porción de mantequilla por persona."

Bueno, usted probablemente pensará que aquello no supondría ningún desafío de negociación mayor para el doctor Tunney, quien antes había estado acostumbrado a lidiar con corpulentos jugadores de fútbol americano los fines de semana. De modo que el doctor Tunney se preguntó: "¿Cómo puedo negociar una porción adicional de mantequilla con este camarero?" Y se le ocurrió la siguiente idea: "Este muchacho no sabe quién soy yo." Así que el señor Tunney le preguntó: "Disculpe, ¿sabe usted quién soy yo?"

El joven contestó: "No."

"Soy el hombre que tendrá que hablar a estos miles de personas aquí presentes."

El camarero no pareció quedar muy impresionado con la información y dijo: "Señor, ¿sabe usted quién soy *yo*?"

"No," contestó el sorprendido señor Tunney.

"¡Yo soy el encargado de la mantequilla!"

A pesar de carecer de los demás factores, el camarero tenía la habilidad de recompensar o castigar y eso le daba suficiente poder. Este es un ejemplo de cómo no se debe utilizar el poder. En ocasiones usted tendrá que hacer cosas por las cuales la gente se ofenda. Tenga cuidado de no utilizar el poder de forma indebida, solo porque tiene la facultad de hacerlo. Recuerde que usted desea construir relaciones para que las personas continúen trabajando con usted.

Otro ejemplo: Una mujer ejecutiva se acercó a un conferencista a quien estaba pensando contratar para la sesión de apertura de la convención anual de la asociación para la que ella trabajaba. Después de una larga deliberación, la ejecutiva dijo al conferencista que ella continuaría investigando y que la contactaría en una o dos semanas.

Pensando con rapidez, el conferencista preguntó: "¿Hay otras partes de la convención en las que necesite utilizar a conferencistas profesionales?"

Ella contestó: "Sí, esperamos tener a [nombre del conferencista] como nuestro discursante principal y a [nombre del conferencista] para el cierre."

"Los conozco a los dos personalmente y he compartido la plataforma con ellos muchas veces. Tal vez pudiera ayudar."

El conferencista, aunque en una posición débil, expuso una "recompensa" en el momento justo. Aquello equilibró su posición de debilidad. Sería muy difícil para la mujer ejecutiva no contratarlo luego que el conferencista la persuadió que convencería a los otros dos discursantes de renombre a acomodarse al presupuesto limitado de la asociación. De modo que si se encuentra en una posición de debilidad, busque oportunidades que le den la habilidad de recompensar o de castigar.

EL PODER DEL TIEMPO (O DEL PLAZO LÍMITE)

En casi todo proceso de negociación la parte que tiene un plazo límite pierde poder. Cuando uno tiene que hacer que algo ocurra dentro de un límite de tiempo termina haciendo muchas concesiones (vea el capítulo 4). Si, por otra parte, el tiempo no es un factor de incidencia para usted y no hay necesidades apremiantes, no habrá razones para tomar acciones inmediatas.

Ejemplo: Me ha sorprendido el número de veces que, durante el receso de un seminario, luego de una consideración sobre el poder del plazo límite, obtengo la misma reacción de parte de algunos participantes. El asunto ocurre de la siguiente manera:

"En mi empresa soy el encargado de las negociaciones con Japón. Cuando viajo allá para realizar alguna negociación, lo primero que ellos me preguntan es cuándo es mi regreso a los Estados Unidos. En seguida me atienden bien, pero las negociaciones parecen dilatarse hasta el momento cuando ya estoy a punto de regresar. Entonces, ¿quién tiene que hacer las concesiones? Por supuesto, yo."

Cuando esté en un proceso de negociación, haga todo lo posible por evitar tener un tiempo límite, y si lo tiene, trate de no revelarlo. Esa información es un asunto confidencial. Otra forma de manejar la situación es tener razones para regresar más pronto de lo previsto (puede ser algo como atender una reunión "importante" con alguien en su país de origen). Así, si usted necesita tiempo adicional para lograr su objetivo con la negociación, puede, en el último minuto, cancelar la reunión "importante" y modificar la fecha de su vuelo de regreso. Para esta maniobra, es probable que tenga que comprar un tiquete de avión reembolsable, el cual cuesta un poco más, lo cual se compensa con el hecho de tener la posibilidad de conducir una negociación apropiada.

Averigüe los plazos límites de la otra parte antes de la negociación. Haga las preguntas necesarias. Escuche cuidadosamente las respuestas. Su conocimiento sobre el uso prudente de los tiempos límite le dará gran poder de negociación.

EL PODER DE LA PERCEPCIÓN

Lo que realmente importa no es, quién tiene el poder, sino más bien, quién parece tenerlo.

Ejemplo: Analicemos el caso del primer factor de poder que consideramos, el poder de la alternativa. Asumamos que no tengo absolutamente ninguna alternativa para negociar con usted, pero usted es la única fuente con la que yo puedo lograr lo que deseo. Pero por alguna razón usted percibe que yo tengo otras alternativas. En esta situación, es como si existieran esas alternativas. Al menos en lo que respecta a esta negociación.

Con esto no estoy sugiriendo que usted engañe a la otra parte conduciéndola a hacerle creer que usted cuenta con algo que en realidad no tiene. Lo que estoy diciendo es que si usted tiene un poder, pero la otra parte no sabe que usted tiene ese poder, para ella es como si usted no lo tuviera. Para usted no es de ningún provecho tenerlo. Su trabajo es dejarle saber a la otra parte que usted tiene ese poder.

Ejemplo: Durante los últimos cuatro años usted ha sido calificado en el primer puesto en satisfacción de clientes por parte de J. D. Power and Associates; no obstante, su cliente potencial no está consciente de ese hecho. Aquí hay varias maneras de dejarles saber a ellos el asunto sin decírselo directamente (lo cual también puede hacer):

Comparta alguna publicación donde el asunto se exprese con claridad.

Envíe un correo electrónico donde se haga una breve mención del hecho en el lugar donde se pone información de la compañía al lado de su firma.

Inclúyalo en su conversación. ("Desde que me uní a la compañía, hace cuatro años, hemos sido reconocidos por J. D. Power and Associates como...")

Tenga cuidado de no percibir más poder en la otra parte del que realmente tiene. Investigue y conozca a la otra parte antes de la negociación. Haga preguntas, haga preguntas y haga preguntas durante la negociación. El conocimiento constituye una parte fundamental de la negociación. Utilice todo el poder a su disposición y no subestime el poder de la contraparte. Lo importante no es quién tiene el poder, sino quién se percibe que tiene el poder.

EL PODER DE LAS RELACIONES (O DE LA ASOCIACIÓN)

Personalmente considero que el poder de las relaciones es el factor de poder más importante en los negocios comerciales de hoy en día. Tal vez hace 20 años este elemento difícilmente hacía parte de mi lista. No obstante, año tras año, las relaciones adquieren más relevancia. Esto es particularmente cierto en lo que tiene que ver con las negociaciones a largo plazo o cuando se hace necesario continuar las negociaciones con la misma contraparte vez tras vez. Los ocho principios de asociación bosquejados en la introducción suministran excelente instrucción en cuanto a construir las relaciones eficaces. De igual manera, en el capítulo seis ("Cómo manejar a los negociadores difíciles") y en el capítulo 12 ("Cómo evitar errores comunes"), usted puede encontrar ideas y ejemplos adicionales.

CUANDO LA RELACIÓN ESTÁ BIEN LOS PORMENORES NO SE INTERPONEN EN EL CAMINO. CUANDO LA RELACIÓN NO ESTÁ BIEN, NI LA HABILIDAD MÁS EXPERIMENTADA PARA NEGOCIAR, LOGRA EL ACUERDO.

SEGUNDA PARTE

ESTÉ LISTO PARA AFRONTAR LO QUE VENGA

. . . .

Usted va a encontrar obstáculos en el camino.

Aprenda a superarlos

4
Haga y obtenga concesiones

"A menos que se hagan concesiones,
es imposible la vida en sociedad."
— SAMUEL JOHNSON

Luego de haber determinado las necesidades por medio de hacer las preguntas correctas (capítulo 1), de escuchar con eficacia (capítulo 2) y de entender los factores que equilibran el poder (capítulo 3), debemos avanzar hacia el siguiente paso en la negociación: Hacer y obtener concesiones. ¿Cómo podemos hacer concesiones razonables sin perder el rumbo de la negociación? ¿Cómo hacer sentir bien a la contraparte en este proceso que constituye un gran desafío?

En muchas negociaciones el punto crítico consiste en *hacer y obtener concesiones*. Personalmente he participado en miles de negociaciones reales y simuladas, y a través de mi experiencia, he aprendido que existen ciertos principios o directrices que pueden ayudar a alguien a hacerse efectivo en este proceso. A medida que usted también aplique esas directrices, también se convencerá de ello. Preste particular atención a la razón psicológica detrás de cada uno de los principios. Ello le proporcionará la mejor forma de entender la instrucción y mejores argumentos para decidir cuándo y cómo utilizarlo. Por ejemplo, para la primera instrucción, permitirse la oportunidad de hacer concesiones, subyacen dos principios psicológicos: (1) Si usted empieza en lo alto (o en lo bajo) de una negociación, usted reduce o aumenta las expectativas de la otra parte y abre el camino para hacer concesiones, y (2) A la gente le gusta recibir concesiones y está más dispuesta a hacer concesiones luego de haber recibido una. Lo último es particularmente útil cuando usted está negociando con alguien que espera obtener concesiones como una parte normal del proceso de negociación. En este punto, los buenos negociadores saben cómo hacerlo y los excelentes negociadores saben por qué hacerlo.

1. Permítase la oportunidad de hacer concesiones

La oferta inicial es un componente clave de cualquier negociación y tiene una relación directa con el resultado. Debe ser tan alta (o tan baja) como sea posible *sin que sea percibida como no realista*. No obstante, tenga en cuenta que una oferta que al principio suene como poco realista (alta o baja), puede ser sustentada con argumentos lógicos y razonables.

Ejemplo: A usted le interesa comprar cierto inmueble cuyo precio es $495,000 y le dice al vendedor:

"Al investigar sobre su propiedad he notado que ya ha estado a la venta durante seis meses sin recibir ofertas y con el propósito de hacer una oferta realista, hice un poco más de investigación y..."

"Hay una propiedad, cercana en ubicación a la que usted ofrece y de una cantidad de metros cuadrados similar y vi que se vendió en $375,000..."

"También hay otra propiedad con características similares y recientemente se vendió en $389,000..."

"Adicionalmente, yo tendría que invertir $55,000 en un techo nuevo, reparar la unidad central de aire acondicionado y remodelar la entrada del garaje."

"Dadas estas condiciones, estoy dispuesto a pagar $385,000 por la propiedad."

Esa oferta "poco realista" se vuelve realista cuando se respalda con las ventas recientes de otras propiedades en el área y cuando se señalan las mejoras que se deben realizar en el inmueble.

Durante mis seminarios, en los miles de casos de negociación que se hacen a forma de simulacro, he notado que existe una relación directa entre la oferta inicial y el acuerdo final. Mientras más alta sea la oferta inicial, más alto se cierra el acuerdo final, y mientras más baja sea la oferta inicial, más bajo es el acuerdo final.

El negociador experimentado hace la oferta inicial de modo que se puedan hacer concesiones, sin ir demasiado bajo, porque la contraparte puede asumir la posición de "retirarse." Por consiguiente, usted debe determinar las siguientes tres posiciones importantes antes de reunirse por primera vez con la otra parte:

- Su posición "ideal" – la expectativa más alta que pudiera alcanzar.
- Su posición "punto medio" – donde considera que posiblemente llegarán a un acuerdo.
- Su posición de "retirada" – donde es mejor retirarse que continuar.

Es posible que estas posiciones cambien a medida que usted aprenda nuevos detalles durante el proceso de la negociación. He aquí unas palabras de advertencia: *no se apresure a bajar sus expectativas durante la agitación de la negociación.* La mayoría de las personas no piensan de forma clara cuando están bajo presión. Sí. Usted desea cerrar el acuerdo, pero recuerde que ha pasado tiempo importante y sin presiones, determinando el alcance de sus tres posiciones. No eche a perder eso con un repentino cambio emocional del cual se pueda arrepentir más tarde.

2. No haga la primera concesión sobre un asunto mayor

Si usted cuenta con el tiempo a su favor, no haga la primera concesión, punto. (Vea la sección "Paciencia" en la página 156) Esto siempre obrará a su favor. El tiempo es un factor de poder (vea la página 62). Cuando sienta la necesidad de empezar a hacer concesiones, elija que sean pequeñas y que no impliquen mayor costo para usted, pero que resulten en la percepción de un alto valor en la contraparte. Aún, antes de hacer una concesión, pregunte: "¿Si yo hago x por usted... puede usted hacer y por mí?" o "... ¿qué podría hacer usted por mí?"

Observe la primera pregunta: usted tiene algo específico para pedir. En la segunda parte usted hace una pregunta que al principio es abierta pero al final es cerrada. Le sorprenderá agradablemente descubrir que las preguntas abiertas-cerradas siempre arrojan buenos resultados. No obstante, si el resultado no es el esperado, usted puede contrarrestar la solicitud con una concesión específica. De modo que las preguntas pueden lograr varios resultados:

- Puede conseguir algo bueno que no esperaba.
- La otra parte se da cuenta que cada vez que pida algo, se le va a pedir algo a cambio. Con el tiempo esto hace que sus peticiones disminuyan o desaparezcan completamente

Ejemplo: Este es el escenario:

- Existen tres cosas que considera cruciales conseguir en una negociación: A, B y C.
- Otros cuatro aspectos de la negociación: B1, B2, B3 y B4, son importantes, pero menos críticos.

- Otros tres aspectos: C1, C2 y C3 son "arandelas," cosas que usted no quiere o no necesita, pero que son de valor para la contraparte.

Si siente que necesita hacer una concesión, utilice uno o más de sus elementos "C" al principio. A medida que la negociación avance y si ello es necesario, vaya moviéndose hacia arriba en la lista. Intente no hacer concesiones en sus elementos "A" de la lista.

3. Uno de los mejores momentos de obtener una concesión es cuando a usted se le pide conceder una.

Dicho de otra forma: no haga una concesión sin solicitar que se le haga en cambio una a usted y haga esto aún si la concesión es una cosa menor que pueda ser capitalizada en un punto más adelante. Aquí entra en juego la ley de la reciprocidad, la gente espera una cosa a cambio de la otra. Utilice una de las preguntas en la directriz anterior. Capitalice sobre la base de la naturaleza humana y recuerde que el mejor momento para obtener una concesión es cuando a usted se le pide hacer una. Aunque al principio pareciera que las instrucciones dos y tres fueran la misma, son fundamentalmente diferentes. La instrucción número dos se refiera a lo que usted no debe hacer y la instrucción número tres se refiere a lo que usted sí debe hacer.

4. No sea muy presto a aceptar la primera oferta (hágalo rara vez)

Casi que es posible obtener concesiones con todos los negociadores. Cada vez que inicie una negociación dígase a sí mismo: "Todos los negociadores siempre conceden algo." Usted tendrá razón cerca del 99% de las veces. Al no aceptar la primera oferta y explorar otras áreas donde se puedan hacer concesiones, usted abre la mente de la otra parte de modo que pueda considerar cada posibilidad. Recuerde mi máxima respecto a las negociaciones: "Si usted no lo solicita, nunca lo obtendrá."

Aquí hay una lista de cosas que la gente pide y que se les concede sin ningún costo adicional:

- Mejores acomodaciones hoteleras.
- Una tasa de interés menor en la tarjeta de crédito.
- Dotación de algún tipo de mobiliario con la compra de una casa.
- Accesorios adicionales gratis con la compra de un vehículo.
- Mejores acomodaciones en un avión.
- Afiliaciones médicas por parte del empleador en un contrato de trabajo.
- El pago total o parcial de los gastos de escrituración en la compra de un bien inmueble.

Como dice el viejo dicho: lo peor que una persona puede decir es "no." Le animo a solicitar algo que normalmente no esté acostumbrado a pedir en una negociación. ¡Solo inténtelo! Casi todo es negociable. Luego, escríbame y cuénteme su experiencia.

5. *Haga que la gente se gane las concesiones*

Digamos que usted ha puesto un aviso clasificado en el periódico para vender su automóvil. De inmediato un potencial comprador responde y luego de darle un vistazo rápido al automóvil, ofrece comprarlo por el precio que usted está solicitando. Se cierra el trato y obtiene el dinero. Usted debe quedar complacido, ¿verdad? Falso porque debería preguntarse a sí mismo: "No pedí lo suficiente y perdí la oportunidad de percibir varios miles de dólares más. Pudieron haberme pagado más. ¿Por qué pedí tan poco?"

Consideremos el asunto: Cuando las personas obtienen rápidamente el precio que solicitaron, es porque probablemente no pidieron lo suficiente. De modo que si usted desea dejar satisfecha a la otra parte (lo que es correcto en toda negociación), haga que tengan que esforzarse por obtener concesiones. Por ejemplo, lo que un comprador experimentado hace es llamar la atención a problemas menores, llantas con desgaste en el labrado, pequeños rayones, hendiduras en las puertas, manchas en los tapetes, etc. Una vez hecho esto, lo más probable es que obtenga alguna concesión en el precio. El vendedor estará mucho más satisfecho con la transacción (aunque reciba menos por el vehículo) y no sentirá que pudo haber percibido más dinero por el negocio.

6. Evite adoptar patrones predecibles en las concesiones

Los negociadores expertos no solo evitan adoptar patrones de comportamiento al momento de hacer concesiones, sino que también observan cuidadosamente si hay patrones de comportamiento repetitivos con relación a las concesiones que hace la contraparte.

Ejemplo: Yo estuve haciendo uso de una firma de abogados de otro estado para resolver un asunto legal radicado en ese estado. Al principio nuestras propuestas iniciales estuvieron muy alejadas la una de la otra y mi abogado dijo: "No te preocupes porque esta firma tiene la costumbre de esperar a que falten dos o tres días antes del juicio para hacer alguna concesión y entonces hacen una serie consecutiva de concesiones para evitar ir a la corte."

Obviamente, yo prefería evitar tener que ir a la corte y con esa información en mente compré un tiquete de avión reembolsable, para permanecer inmovible y no hacer concesiones. Y así fue, tres días antes de la fecha de la corte mi abogado llamó para informarme que habían hecho una mejor oferta. Nosotros hicimos una contraoferta razonable, la cual fue aceptada, lo que nos ahorró una considerable suma de dinero más mi tiempo y gastos de viaje. Todo esto se logró gracias a un buen abogado que conocía los patrones de concesión de la contraparte en sus tratos comerciales.

Cuando usted tenga tratos comerciales habituales con una contraparte, determine cuáles pueden ser los patrones en su estilo de negociar. Ese conocimiento puede ser capitalizado, tal como sucedió en el ejemplo anterior. Eso se logró gracias a que yo sabía que ellos hacían concesiones unos días antes de tener que ir a la corte. De igual manera, no adopte patrones de concesión que puedan ser identificados y utilizados en su contra, como los ejemplos que se citan a continuación:

Patrones comunes al momento de hacer concesiones

Irse a los extremos para intentar obtener lo máximo posible. (Vea la página 167)

Pedir un pedazo del pastel: pedir cosas pequeñas que individualmente pueden no significan mucho pero que en conjunto pueden representar bastante. (Vea la página 154)

El relleno: la contraparte hace una propuesta inicial, con concesiones que pueden hacer, pero con elementos que uno no necesita.

El encime: pedir una concesión pequeña, al momento del cierre, la cual casi nunca se niega. (Vea la página 162)

Dar por sentado: actuar dando por sentado que se harán concesiones a medida que se avance en la negociación. (Vea la sección "Actué y espere los resultados," en la página 163)

El agente con autoridad limitada: establecer el contexto como si no se pudieran hacer concesiones a menos que una instancia mayor las aprobará. (Vea la página 152)

7. *Haga concesiones pequeñas, no se apresure a hacerlas y cada nueva concesión hágala progresivamente menor*

Asumamos que un vendedor está negociando un producto o servicio por el cual está pidiendo USD $10,000. Considere dos posibles escenarios:

- Escenario 1: Después de una breve negociación se hace una concesión rápida de $9,500, luego otra de $9,000 y al final otra de $8,500.
- Escenario 2: Después de una larga negociación se hace una concesión de $9,800, luego otra de $9,700 y al final otra de $9,650.

En cada caso se hicieron concesiones. Sin embargo, en el escenario 2, fueron concesiones menores y fueron haciéndose progresivamente menores. ¿Percibe usted la sensación que en el escenario 2 el negociador está cada vez más cerca de la rebaja máxima? Es posible que en la realidad no lo esté, pero usted llega a esa conclusión con base en el tiempo y en la cantidad cada vez más reducida en las concesiones. En las negociaciones, las percepciones se asumen como realidades. Utilice este conocimiento a su favor.

8. *No asuma que usted conoce qué concesiones quiere conseguir la contraparte*

A la mayoría de las personas les sorprendería saber cuánto en realidad conceden sin tener la necesidad de hacerlo, y esto ocurre porque *asumen que saben* qué es lo que desea la contraparte. El hecho que algo haya sido importante para su cliente anterior (socio, etc.) no significa que eso sea igual de importante para su cliente actual. ¡No asuma cosas! *¡Pregunte, pregunte, pregunte!*

Convierta en una regla el no hacer concesiones antes de estar absolutamente seguro que valdrá la pena el costo. Antes de asumir que conoce las necesidades de la contraparte, pregunte lo siguiente:

"¿Cuál de estos elementos es el más importante para usted?"

"¿Cuál es el menos importante?"

"Si usted estuviera en mi posición, ¿qué sugeriría?"

"¿Cuál considera usted que es la mejor manera de hacer que esto se complemente?"

"Hábleme un poco más acerca de sus necesidades en esta área."

"¿Cómo puedo satisfacer mejor sus necesidades y todavía hacerlo razonable para mí?"

La mayoría de veces damos más de lo necesario. Explore antes de hacer concesiones. Averigüe qué es exactamente lo que busca la contraparte.

9. *Intente conocer todas las solicitudes antes de hacer alguna concesión*

En una de las estrategias de negociación efectiva llamada "Pedir un pedazo del pastel" (conocida también como "salami," vea la página 154), el negociador solicita pequeñas concesiones, una a la vez, y al final termina con "todo el pastel." Por esta razón es que un buen negociador siempre intenta determinar todas las posibles peticiones antes de hacer alguna concesión. A continuación se presenta la pregunta ideal que se debería hacer cuando se le pida a uno hacer una concesión (no importa cuán pequeña sea):

"Aparte de esto, ¿hay algo más que usted necesite solicitar antes que cerremos el trato?"

Esta pregunta cumple con dos propósitos:

- Obliga a la otra parte a revelar su agenda completa antes que usted haga la concesión.
- Elimina de forma efectiva la posibilidad que se utilice la técnica del pastel, porque hace que la otra parte se dé cuenta que tan pronto como pide algo, se le hace esta pregunta inmediatamente.

Es posible que usted quiera fijar esta pregunta valiosa en el espejo de su baño o en la nevera hasta que se convierta en una pregunta automática en sus procesos de negociación. Le ahorrará miles de dólares en "concesiones sucesivas" en el futuro. ¡La práctica hace al maestro!

10. No haga una contraoferta a una oferta poco realista

La mayoría de los negociadores expertos simplemente rehúsan comenzar a negociar hasta cuando el punto de inicio esté dentro de un rango de negociación razonable. La filosofía aquí es que no hay razón para hacer ninguna concesión cuando se está lejos de una oferta que pueda conducir a un acuerdo. Rehusarse a continuar adelante implica un riesgo; no obstante, la mayoría de las veces resulta ser un riesgo que da poder de negociación. También ahorra tiempo porque hace que la otra parte haga una concesión, adelantando así los asuntos o la negociación se termina.

Ejemplo: Cuando vivía en Wisconsin y planeaba mudarme a Arizona, fui abordado por un vecino que mostró interés en comprar mi casa. Me preguntó cuánto estaba pidiendo. Yo había hecho algunas averiguaciones sobre los precios pero no tenía una idea concreta.

Yo le contesté: "La verdad, no sé. No he pensado mucho al respecto."

Entonces, el hombre me hizo una oferta.

Yo le dije: "Oh, no. Ese precio está muy por debajo de lo que yo pensaría."

Enseguida el hizo otra oferta, significativamente mayor a la primera. Pero mi respuesta fue la misma.

Para resumir la historia, él regresó varias veces, cada vez con una oferta más alta. Para entonces, yo ya había investigado y había hablado con un amigo que era agente inmobiliario para determinar el posible valor de la casa. Cuando mi vecino volvió y ofreció algo dentro del rango de un precio razonable, empezamos seriamente a hacer la negociación. Yo estaba en una posición más fuerte, porque simplemente, de manera amable, había rechazado las anteriores ofertas poco realistas.

··

RESULTA MEJOR CUANDO SE RECHAZA O IGNORA UNA OFERTA POCO REALISTA HASTA CUANDO LA OTRA PARTE TRAE UNA OFERTA DENTRO DEL RANGO RAZONABLE DE NEGOCIACIÓN.

··

11. Recuerde el valor relativo

El negociador experimentado recuerda el concepto del valor relativo: ¿Qué resulta de poco valor para usted que sea de gran valor para la otra parte?

Ejemplos:

El minorista que da un año de garantía por un electrodoméstico. El comprador ve esto como una gran ganancia en la compra.

Sin embargo, el vendedor sabe por experiencia que los gastos por garantías dentro del primer año son mínimos.

El distribuidor de automóviles que agrega un accesorio que en unidad puede tener un alto costo, pero que al por mayor puede resultar muy barato.

El fabricante que concede varios meses de almacenamiento gratis debido a que tiene dos bodegas con suficiente espacio disponible.

La firma de contadores públicos que concede utilización gratis de un programa durante algún tiempo a un cliente potencial que va a adquirir el servicio por un año (a ellos no les cuesta nada que el cliente utilice el programa durante ese tiempo).

Los ejemplos son ilimitados. Cuando haga una concesión o cuando reciba una, recuerde el concepto del valor relativo.

Las concesiones constituyen un elemento absolutamente fundamental en el arte de la negociación. Conocer y aplicar estos principios le ayudará a hacer y a recibir concesiones efectivas. Recuerde, todos estos son principios, no son reglas. Si bien estos funcionan en un buen número de situaciones, no funcionan en todas. Aprenda los principios, practíquelos. Entonces afine sus sentidos para aplicarlos en las situaciones correctas.

> "TODA FORMA DE GOBIERNO, DE HECHO, TODO BENEFICIO Y DISFRUTE HUMANO, TODA VIRTUD Y TODO ACTO PRUDENTE, SE BASAN EN EL SENTIDO DE COMPROMISO Y DE INTERCAMBIO."
> — EDMUND BURKE

5
CÓMO NEGOCIAR DESDE UNA POSICIÓN DÉBIL

"Las negociaciones entre dos partes en conflicto se asemejan a intentar cruzar un río caminando sobre rocas resbalosas... Es arriesgado hacerlo, pero es la única forma de cruzar."

— HUBERT HUMPHREY

Sea que lo queramos o no, a veces nos encontramos en una posición de negociación débil. Nadie disfruta estar en una posición de desventaja – *excepto los grandes negociadores.* Ellos asumen la oportunidad como un desafío personal. Aprenda de ellos. Usted también puede convertirse en un maestro de la negociación desde una posición débil. Todos los capítulos de este libro contienen información valiosa que puede resultar muy útil para conducir negociaciones desde una posición débil. Los capítulos, como las piezas de un rompecabezas, nos ayudan a ver la gran imagen de lo que es la negociación exitosa. Las seis sugerencias clave que se explican a continuación, abordan específicamente las estrategias que deben ser utilizadas para compensar una posición de negociación débil.

1. Evite adoptar una actitud defensiva: mantenga una actitud positiva

Uno de los errores más costosos de una negociación consiste en subestimarse a sí mismo. Su posición, en la mayoría de los casos no es tan débil como usted piensa. ¿Por qué? Para iniciar, usted es muy consciente de sus propias limitaciones. La otra parte probablemente no está al tanto de estas, por lo menos no de todas. De la misma manera, usted es consciente de las fortalezas de ellos, pero no de sus limitaciones.

Con estos pensamientos en mente, y con una actitud mental positiva, se puede hacer mucho para fortalecer la condición de debilidad. Los grandes negociadores creen que pueden salir ganadores y usualmente lo logran.

> **"Nadie puede hacerlo sentir inferior a uno, si uno no se lo permite"**
> — Eleanor Roosevelt

2. Utilice la filosofía y la terminología de los principios de "asociación"

Recuerde los ocho principios de asociación descritos en la introducción y utilícelos para fortalecer su posición débil:

- Actúe como si la relación fuera a durar para siempre.
- Comprenda las necesidades y los deseos – tanto de la otra parte como los suyos.
- Esté orientado hacia "ellos," no hacia "usted."
- Reconozca los sentimientos como factores.
- No asuma las ofensas como algo personal.
- Utilice su poder para construir relaciones.
- Mantenga comunicación abierta y sincera.
- Determine de antemano la forma de resolver las diferencias.

Adicionalmente, siempre inicie las negociaciones con declaraciones que abonen el terreno para un entorno positivo.

Ejemplo: "Dan, realmente disfruto trabajar contigo porque tú siempre te pones en mis zapatos y siempre logramos encontrar una solución que resulta en beneficio mutuo. Quiero que sepas que esa es mi meta también y me gustaría conocer tus necesidades en esta situación de modo que podamos encontrar una buena solución para ambos."

3. Mantenga un enfoque amplio: vea el gran cuadro de la situación

Otra forma de fortalecer una posición débil es ver la situación desde una perspectiva amplia.

Ejemplo: Su pequeña empresa de producción está negociando con el único proveedor un componente esencial de uno de sus productos de mayor venta. Su proveedor es una empresa grande. Usted representa solo una parte pequeña de su gran negocio y ellos le han informado de un incremento substancial del suministro que usted les compra. Parecería que usted está en una posición muy débil. Aquí hay un ejemplo de lo que pudiera decir para fortalecer su posición: "Fred, ustedes son una gran empresa, pero nosotros tenemos un gran manejo de nuestro producto (descríbalo) y un gran potencial de crecimiento. Aunque representamos solo un pequeño porcentaje de su actual negocio, estamos seguros que nos convertiremos en compradores mayoristas en pocos años. Déjeme compartir nuestro crecimiento proyectado y lo que significaría para su negocio en el futuro..." [A continuación muestre proyecciones bien documentadas] Ver este gran cuadro puede fortalecer la posición de su empresa significativamente.

En cualquier situación de debilidad, expandir el alcance de sus posibilidades puede fortalecer su posición. Aquí hay otro ejemplo: Un empleador está en una posición débil porque tiene un salario bajo inicial para ofrecer y le dice al solicitante: "Esto probablemente sea menos del salario que usted esté buscando, pero observe este cuadro y vea cuán rápidamente se incrementa el salario promedio de nuestros empleados dentro de los dos primeros años de trabajar con nuestra organización. Tampoco pase por alto el gran paquete de beneficios, el cual usted recibirá desde el mismo principio y que se calcula en..."

4. Busque una mejor MAAN

MAAN es la abreviación de uno de los conceptos de negociación más importantes: mejor alternativa al acuerdo de negociación. En otras palabras, ¿qué alternativas existen si no se logra un acuerdo con esta contraparte? Aquí hay unos ejemplos de MAANs en caso del primer ejemplo que utilizamos en la directriz tres:

- ¿Pudiera otro proveedor producir el componente a un precio competitivo, quizás con un volumen de producción garantizada al año?
- ¿Pudiera usted producir el componente?
- ¿Pudiera utilizar otro componente disponible para lograr el mismo objetivo, aún cuando tuviera que modificar el producto final?

Es posible que ninguna de estas alternativas se compare con la alternativa de comprar el componente al "único proveedor," pero estar al tanto de esas alternativas fortalece lo que de otro modo sería una posición débil. La MAAN que usted cree no necesita ser mejor, *en su mente*, que la oferta disponible. El proveedor no sabe si sus alternativas son mejores o no que lo que él ofrece. *Recuerde, la percepción se asume como realidad.*

Si existe la posibilidad de una alternativa, usted puede compartirla con la otra parte en un momento apropiado. Usted pudiera decir algo como: "Para ser franco, su aumento de precio nos ha puesto en verdaderos apuros. Tenemos que empezar a buscar otras alternativas si no pueden mejorar el precio. Nuestras proyecciones demuestran que su propuesta de aumentar el precio nos pondría fuera del mercado competitivo. Tendremos que empezar a explorar otras alternativas como... [Mencione las alternativas que haya identificado]. Espero que usted pueda considerar este asunto en su compañía para que evalúen si existe la manera de mejorar el precio para nosotros. Hemos disfrutado las relaciones comerciales que hemos tenido durante estos últimos tres años." Cuando los asuntos se exponen de esa manera es difícil que la contraparte resulte ofendida. Proponer alternativas y luego escoger la mejor, puede fortalecer en gran medida lo que en un principio parecía una posición débil.

5. Utilice un equipo o contrate a un experto

Cuando resulta apropiado, utilizar un equipo (vea el capítulo 10, "Las negociaciones en equipo") o contratar a un experto (vea la página 59) puede fortalecer una posición débil. Entre las ventajas de hacer esto se encuentran:

- Se fortalece el número de personas a su favor.
- Se obtiene apoyo moral.
- Se logran planear mejor las estrategias.
- Se reúne mayor experiencia.
- Existe la posibilidad de jugar diferentes roles (el buen chico - el mal chico).
- Existen menores posibilidades de error.

6. Descubra las necesidades

Nada fortalece mejor una posición débil que conocer las necesidades particulares de la contraparte. Como se mencionó en la introducción, siempre existen dos clases de necesidades:

- Las necesidades específicas a la negociación en sí (lo que la contraparte desea lograr en la negociación)
- Las necesidades particulares del estilo de personalidad de acuerdo al *proceso* de negociación.

El tener conocimiento sobre la segunda área de negociación siempre separa a los buenos negociadores de los mejores. ¿Por qué? Las personas son diferentes pero son *predeciblemente* diferentes. El estilo de personalidad de cada uno significa que a cada persona le gusta ser tratada de forma singular de acuerdo a sus gustos y aversiones.

- A algunas personas les gusta avanzar rápido durante las negociaciones; otras prefieren ir a un paso lento.
- A algunas personas les gusta tomar decisiones basándose en hechos; a otros les gusta tomar decisiones con base en la manera como se "sienten."
- A algunas personas les gusta mantener el control; otras personas son por naturaleza seguidoras.
- A algunas personas les gusta hablar; a otras les gusta escuchar y hacer preguntas.
- A algunas personas les gusta hacer la tarea rápidamente; a otras personas les gusta construir relaciones.

Al conocer las necesidades personales de la otra parte, usted puede lograr su objetivo porque puede satisfacer esas necesidades.

Ejemplo: Recibí la petición de servir como presidente de nuestra asamblea de la National Speakers Association (Asociación Nacional de Conferencistas). Se necesitaban unos cincuenta oradores para presentar los diferentes temas de las sesiones: tema de introducción, discursos destacados y proveer almuerzo y refrigerio para todos ellos. Me sorprendió que el presupuesto para ello fuera absolutamente nada. ¿Cómo habríamos de atraer a oradores expertos para que discursaran gratis, cuando muchos de ellos estaban acostumbrados a ganar entre USD $10,000 y 20,000 y hasta más? La respuesta a esa pregunta fue simple. Estuvo relacionada con averiguar las necesidades singulares de ellos y demostrarles que la presentación podía satisfacer esas necesidades. Por supuesto, las necesidades son diferentes en cada persona.

- Algunos oradores destacados tienen la necesidad de "dar algo de vuelta" a la industria y vieron en esta asamblea una oportunidad para hacer precisamente eso.
- Otros oradores se dieron cuenta que las mejores agencias de conferencistas del país estarían presentes en la asamblea, de modo que lo vieron como una oportunidad para promocionarse a sí mismos.
- A otros oradores les gusta ser citados. Si ese era el caso, mencionamos que más de 1,500 oradores del auditorio los estarían citando durante los próximos años.

El conocer las necesidades de la otra parte puede convertirse en el factor más importante para alcanzar el éxito cuando se está en una posición de debilidad.

Una sugerencia final: ¿Cuáles son sus pensamientos cuando usted se encuentra en una posición de debilidad? Esto es lo que yo suelo decir: "Esto va a ser muy divertido. Voy a aplicar todo lo que he aprendido sobre negociar y voy a convertir mi posición débil en una posición fuerte, o por lo menos en una posición moderada." A mí me gustan los desafíos y estoy seguro que a la mayoría de ustedes también. Todo es cuestión de actitud. Manténgase en una actitud positiva, verá cómo logra hacer mucho más que si permanece en un estado mental de posición débil.

6

CÓMO MANEJAR A
LOS NEGOCIADORES DIFÍCILES

"Nunca negociemos por temor, pero nunca
tengamos temor a negociar."
— JOHN F. KENNEDY

¡Personas difíciles! Todos nos encontramos tarde o temprano con este tipo de personas. Está el estilo de negociador emocional, irracional o ilógico. Estas características de personalidad usualmente surgen (aunque no siempre) de situaciones cargadas de ansiedad, tensión o niveles inusuales de estrés. A la otra parte tal vez no le interese mucho el tipo de relación gana-gana ni mucho menos construir relaciones. Tal vez lo único que desea es conseguir el mejor arreglo posible para su ventaja. No se sienta frustrado cuando tenga que negociar con este tipo de personas. Manténgase tranquilo. A veces es solo una táctica con la que estas personas intentan crear un efecto adverso en usted. Tal vez lo único que intentan es hacer que usted se impaciente y no entre en ese juego. Algo que puede ayudar en esas situaciones es aplicar una o varias de las sugerencias que consideraremos a continuación. Y hacerlo, lo diferenciará del negociador promedio.

1. Separe los problemas de las personas

Durante mis seminarios con frecuencia les pregunto a las personas si son negociadores "duros" o "blandos." Por lo general, cerca de la mitad dicen que son "duros" y los demás dicen que son "blandos." Pero ninguna de las dos respuestas es verdaderamente correcta. El mejor enfoque es ser de ambas clases. Usted puede ser tanto duro como blando, si separa cuidadosamente a las *personas* de los *problemas*. Sea duro (es decir, firme) respecto al problema y blando (es decir amable) con las personas.

¿Qué estoy intentando decir con esto? Como lo mencioné anteriormente, tanto usted como la otra parte tienen dos clases de intereses, la negociación en sí misma y la relación con la otra parte. Es cierto que un negociador difícil tal vez no tenga mucho interés en su relación con usted. Por lo general, se pueden hacer concesiones durante el proceso de negociación, como el lugar, el horario y los detalles del procedimiento, aunque se deba mantener la firmeza en los términos importantes de la negociación misma.

En estos casos, aplique estrategias, tácticas y técnicas de negociación al problema. Aplique los principios de asociación a la contraparte (consulte las páginas 14 - 24).

Ejemplo: John tuvo que separar a las personas del problema. Decidió que era necesario utilizar una de las estrategias más radicales: retirarse de la negociación (vea la página 165). Esto lo aplicó al problema. Sin embargo, por otra parte, John utilizó cuatro de los principios de asociación (PA) para suavizar su estrategia de retiro. Esto es lo que dijo: "Phil, hemos sido buenos clientes de ustedes durante varios años, y espero que eso pueda continuar por mucho tiempo en el futuro. [PA 1 – relación que dura para siempre] Esta es mi situación: Para este proyecto, nuestra junta directiva indicó que debemos lograr una subasta por debajo de los $700,000 o sencillamente no continuamos con el proceso. Afortunadamente, tenemos una subasta por debajo de esa cifra. [PA 7 – comunicación abierta] Yo entiendo cómo te sientes [PA 4 – sentimientos como hechos], y espero que no tomes esto como una afrenta. [PA 5 – no afrentas personales] ¿Tienes alguna idea de cómo pudiéramos lograr esto para el bien de los dos?" John fue duro con el problema, blando con la persona.

2. Sea reflexivo

Una de las mejores estrategias para utilizar con alguien que se muestra irrazonable es simplemente expresar lo que usted cree que esa persona dijo.

Ejemplo: "Permíteme ver si te estoy entendiendo bien Julie. Lo que me pareció escucharte decir es... [Declare de nuevo lo que usted entendió que Julie dijo]." Esto no necesariamente significa que usted esté de acuerdo con Julie, simplemente que entiende sus pensamientos y sentimientos. Tenga cuidado de no repetir mecánicamente, eso pudiera percibirse como una caracterización. Una vez que escuche lo que usted creyó entenderle, Julie comprenderá una de tres cosas:

- Que lo que ella dijo no fue lógico, práctico y/o razonable. En algunas ocasiones las personas están tan enojadas que no se dan cuenta de lo que están diciendo. Es posible que ella se retracte de lo que dijo.
- Que no transmitió bien la idea de lo que quería decir. Tal vez en ese momento ella aclare lo que quiso decir, despejando el malentendido.
- Que lo que ella dijo era exactamente lo que quería decir. ¡Vaya! Tal vez sea necesario pasar a la sección de preguntas y tratar para buscar un punto de acuerdo (vea el capítulo 1 que trata sobre cómo hacer preguntas eficaces).

3. Dé retroalimentación no verbal positiva

Cuando alguien está enfadado, es sorprendente lo que se puede lograr con el uso efectivo del lenguaje no verbal (vea el capítulo 8). Ayude a la otra parte a sentirse cómoda. Inclínese hacia delante, asienta ocasionalmente y utilice expresiones faciales reflexivas. Por otra parte, disminuir el contacto visual, cruzar los brazos o las piernas o no demostrar ninguna expresión facial, puede intensificar la tensión o la hostilidad. Cuando se abrigan motivos sinceros hacia la otra parte se generan de forma natural las expresiones no verbales adecuadas. Asegúrese que sus expresiones sean auténticas.

4. Utilice la técnica de tomar notas

El tomar notas es una muestra de interés cuando la gente está enfadada o se queja. Ello tiende a reducir las preocupaciones de la otra parte. Puede resultar muy útil tomar notas durante una conversación telefónica. Se puede decir algo como: "Discúlpeme, ¿puede, por favor, decir eso un poco más despacio, estoy tomando nota de sus preocupaciones para entender la situación completamente?" ¡Qué diferencia! De inmediato, la persona se da cuenta que usted se interesa y lo más probable es que se despejen las barreras.

5. Raras veces responda a comentarios hostiles con comentarios hostiles

Combata el fuego con agua no con fuego. Los buenos negociadores han aprendido a no caer en la trampa de responder a los comentarios hostiles con hostilidad. Permita que la otra parte se desahogue, hasta que ya no demuestre más hostilidad.

Observe que el título de esta sección dice "raras veces." No dice "nunca." En casos excepcionales puede ser útil responder de forma agresiva. Esos casos necesitarían cumplir con todos los cuatro aspectos de la siguiente lista:

La contraparte se halla completamente fuera de base en su posición u opinión. donde usted debería estar dispuesto a retirarse si fallara.

Si en un intento por convencerla, usted puede confrontar a la otra parte con agresividad, es probable que logre obtener una medida razonable de éxito.

Usted (o alguien cercano a usted) es la persona que puede hacer esto.

Si usted ha de responder enérgicamente, hágalo conservando el pleno control de sus emociones. Esto puede ser más difícil de lo que se piensa (recomiendo practicar esto primero con adolescentes). Es muy probable que no se logre nada si ambas partes pierden el control de sus emociones. En esos casos, las relaciones que han sido valiosas pueden echarse a perder. Si usted percibe una amenaza física, abandone la situación inmediatamente.

6. Cuando la otra parte se muestre hostil u ofendida, exprese empatía sin aceptar responsabilidad

Ejemplo: "Tom, lamento que esté en esta situación. Debe ser difícil para usted." Con frecuencia, esto reduce la ansiedad de la otra parte. La expresión y el reconocimiento de los sentimientos constituyen un aspecto fundamental de las negociaciones exitosas. Cuando usted le ayuda a la otra parte a expresar abiertamente sus sentimientos, usted conserva abiertos los canales de comunicación y mejora el clima de la negociación.

7. Rara vez profiera un ultimátum

El ultimátum con frecuencia acorrala a usted o a la contraparte en una esquina, logrando que las concesiones sean más difíciles de hacer, así como salvar las apariencias. Seguramente, usted deseará evitar hacer expresiones como las siguientes:

"¿Es esa su oferta final?" Cuando la otra parte dice, "Sí," usted la ha acorralado en una esquina y le ha hecho imposible hacer más concesiones, y todo ello, porque la presionó a decir: "Sí, esa es mi oferta final."

"No hay nada más que pueda hacer [por ejemplo, no puedo hacer más concesiones]." Usted mismo se ha acorralado en una esquina porque ya no podrá hacer más concesiones y a la vez salvar las apariencias.

El negociador experto también sabe como "salvar las apariencias" una vez que una de las partes se ha acorralado a sí misma en una esquina. La clave para esta misión de rescate es proveer información adicional (no suministrada previamente) que justifique la reconsideración de la "oferta final." Por ejemplo:

"Tara, sé que usted dijo que es su oferta final, pero aquí hay otros datos que le pueden hacer reconsiderar su oferta..."

"Amy, sé que dije que no haría más concesiones, pero afortunadamente el día de hoy se ha bajado la tasa de interés, lo cual nos da otras opciones."

Como se dijo anteriormente en la guía cinco, observe que dije "rara vez" en vez de "nunca." Hay ocasiones en las que la estrategia "tómelo o déjelo" resulta muy poderosa (vea la página 155), y resulta útil asumir el riesgo incrementado.

8. Elimine las palabras "Pero", "Justo" y "Razonable" de su vocabulario de negociación

La palabra "pero" puede casi siempre reemplazarse con la palabra "y" sin cambiar el significado de la oración y todavía transmitir la idea.

Ejemplo: "Me gusta su propuesta, *pero* me gustaría sugerir..." puede expresarse de una mejor manera diciendo: "Me gusta su propuesta *y* me gustaría sugerir..." Utilizar "y" es mucho menos ofensivo y mucho más positivo que utilizar "pero."

Las palabras "justo" y "razonable" son palabras cargadas de emoción. Ambas pueden ser reemplazadas fácilmente por la palabra "aceptable." No es que no queramos ser justos o razonables; más bien, es que lo que puede parecer justo o razonable a una parte, puede parecer injusto e irrazonable para la otra. Lo que realmente queremos lograr es un acuerdo que sea "aceptable" para ambas partes.

Ejemplo: En vez de decir, "¿Sería justo si...?" o "¿Sería razonable si...?" más bien diga, "¿Sería aceptable si...?" Esta selección cuidadosa de palabras hace la diferencia entre el buen negociador y el gran negociador.

En adición a las técnicas que hemos acabado de mencionar, sugiero revisar los principios de asociación, los cuales aparecen en la sección de introducción. Todos estos pueden resultar útiles, pero especialmente:

- Reconozca los sentimientos como factores (página 18).
- No asuma las ofensas como algo personal (página 19).
- Determine de antemano la forma de resolver las diferencias (página 23).

No todos los negociadores difíciles van a cambiar. No obstante, cosas extrañas se han visto. Permanezca positivo y aplique estas técnicas pues le pueden sorprender. Otro punto importante: estas técnicas, junto con las que se enseñan en los demás capítulos, son principios que pueden y deben utilizarse en un alto porcentaje de las negociaciones (entre el 90% y 95%). Sin embargo, los negociadores experimentados saben que en ocasiones se necesita de una acción totalmente opuesta a la expresada en un principio. Por ejemplo:

- En ocasiones puede resultar apropiado demostrar *retroalimentación no verbal negativa*.
- En algunos casos puede ser apropiado responder a un comentario hostil con otro *comentario hostil*.
- A veces es apropiado emitir un *ultimátum*.

¿Cuándo sería apropiado hacer esto? Eso es lo que hace de la negociación un "arte" así como una "ciencia" que se puede adquirir leyendo este libro o asistiendo a un buen seminario. El arte se puede adquirir aplicando la ciencia (los principios) muchas veces y utilizando el buen juicio (la intuición educada), que es el que le indica cuándo ignorar ese principio. Hablaremos más de esto en la conclusión

7
ALTERNATIVAS ANTE UN IMPASE

"El consentimiento mutuo es como un río,
que tiene orillas a ambos lados".
— ALAIN- RENÉ LESAGE

Los demás capítulos de este libro indican un patrón de negociación suave, aplicando el conocimiento, la habilidad y la experiencia. Este capítulo es diferente y puede pensar en él como si fuera un equipo de primeros auxilios pues no se debe utilizar en todas las negociaciones. Sin embargo, téngalo a la mano porque cuando se necesita, es muy útil y puede resultar esencial cuando surja un problema. En el lenguaje de las negociaciones llamamos a esos eventos "impases".

Seguramente le ha sucedido que se llega a un punto de la negociación donde usted dice: "Estamos estancados, no hay forma de continuar, se perdió el negocio." Sin embargo, con bastante frecuencia existen formas de sortear los impedimentos y vencer el obstáculo. Se necesita que al menos una de las partes tenga una mente abierta para explorar las posibilidades.

Precaución: cuando usted encuentre un impase estará atravesando un territorio peligroso. Pudiera ser que una o más de las alternativas propuestas no funcionen y esto representa un riesgo implícito y a usted se le puede malinterpretar, ya que las negociaciones difíciles no son para las personas débiles. Sin embargo, ¿qué hacer? ¿Terminar la negociación? Los grandes negociadores no dan por terminada una negociación sin antes agotar todas las posibilidades. En este capítulo vamos a considerar veintiséis posibilidades, veintiséis alternativas creativas cuando ocurre un impase. Estas se agrupan en seis categorías principales:

- Cambie algo dentro de la negociación.
- Reconstruya el momento.
- Incluya algún tipo de bono.
- Conéctese con el lado sensible de la negociación.
- Utilice la ayuda de un tercero.
- Utilice la técnica del tiempo.

Importante: antes de intentar probar alguna de las alternativas la gran pregunta que uno debe hacerse es: (a veces es bueno hacer esta pregunta a la otra parte), "¿por qué se ha detenido la negociación?" Si usted puede al menos tener una noción de la razón, entonces tendrá conocimiento de base para decidir cuáles alternativas probar para solucionarlo. Resulta imposible decir en qué momento se debe utilizar alguna de las alternativas, aunque en algunos casos yo doy indicaciones de los momentos oportunos donde se pudieran utilizar. Sin embargo, con frecuencia la decisión de cuándo utilizar alguna de las alternativas depende de cada situación única. Con frecuencia ha ocurrido que ante algún impase se han intentado varias alternativas antes de encontrar la solución. Si es necesario, no vacile en intentar varias alternativas.

CAMBIE ALGO DENTRO DE LA NEGOCIACIÓN

1. Cambie la ubicación

Un cambio de escenario puede estimular la creatividad. Cuando atraviese un impase considere la posibilidad de cambiar la posición de las sillas, la iluminación y las formas y las medidas de las mesas. Estos cambios aunque pequeños pueden ayudar a superar un inconveniente.

Ejemplos:

- Cambie del entorno formal de una oficina al entorno ameno de un restaurante.
- Transfiérase de un salón grande a uno pequeño o viceversa.
- Transfiérase de un salón con sillas formales alrededor de una mesa a un salón donde haya mobiliario más confortable.

2. Cambie la conformación del dinero

Cuando hay dinero implicado en una negociación (y normalmente esa es la norma), considere cambiar su conformación. Esto pudiera implicar cambiar:

- El horario de pagos.
- Las tasas de interés.
- La cantidad de la cuota inicial.
- Pagos grandes vs. pagos más pequeños con un pago mayor al final.

Considere variables y opciones para cada una de las sugerencias de arriba. Aquí la clave consiste en la creatividad, combinada con el hecho de crear un valor relativo. ¿Qué se puede cambiar con respecto al dinero que resulte en una ganancia para las dos partes?

Ejemplo: El comprador tiene un problema de flujo de caja y el vendedor está intentando conseguir el mejor retorno de la inversión. La solución: reduzca el valor de la cuota inicial y ofrezca plazos más largos, junto con un mayor incremento en la tasa de interés. Así, ¡todo el mundo gana!

3. Cambie las especificaciones

Reajustar las especificaciones o los términos de un acuerdo puede suministrar una alternativa creativa ante un impasse. ¿Cómo puede usted cambiar los términos de un acuerdo y proveer ventaja mutua? Sea creativo y mantenga abierta la mente ante las posibilidades.

Ejemplo: Con solo cambiar ligeramente la forma del aparato el fabricante podría utilizar las herramientas actuales, lo que le ahorraría miles de dólares y lo que a su vez, reduciría el costo para el fabricante y aumentaría el margen de ganancia. Una verdadera situación gana-gana.

Ejemplo: Una empleada recién contratada trabaja en el horario 6:00 AM. a 2:00 PM. de lunes a viernes. El único día libre de su esposo es el viernes y ella sabe que los días en que menos le gusta trabajar a la gente son los sábados y los domingos. Ella le dice a su jefe que le encantaría trabajar los sábados en vez de los viernes. Su jefe fácilmente acepta el cambio. Otra situación gana-gana.

Ejemplo: Usted ha contratado un servicio de paisajismo para el jardín de su propiedad. La fecha que fija el contrato para la terminación del trabajo es el último día de este mes y su paisajista llama para decir que las rocas que usted seleccionó para una parte de su terreno no estarán disponibles sino hasta el final del próximo mes y él le solicita que vaya y seleccione otro tipo de roca porque les ahorraría tiempo y dinero terminar el trabajo a tiempo y no esperar hasta cuando se tengan disponibles las rocas más adelante. Usted le dice que lo hablará con su esposo y que se pondrá en contacto de nuevo con él; (¡Muy buena decisión! Usted no tomó una decisión apresurada y junto con su esposo considerarán el asunto y propondrán un nuevo plan.) Si nadie más está implicado usted le deja saber al paisajista que lo pensará y que lo llamará después. Las especificaciones cambiaron; afortunadamente para usted y han generado una nueva oportunidad. Es posible que usted pueda obtener una clase de roca mejor y al mismo tiempo ayudar a su paisajista a ahorrar dinero. Sea creativa para lograr un buen trato que beneficie a ambas partes.

4. Cambie al negociador o a un miembro del equipo

El incluir a una persona nueva en la negociación puede suministrarle un nuevo enfoque. Con esto usted podrá dar nuevos aires a la negociación y por lo tanto, la selección del nuevo participante es muy importante. ¿Qué se debe hacer para superar el impase? Selecciones al individuo cuidadosamente. Tenga en mente su forma de comportarse, su experiencia y su credibilidad.

Ejemplo: Durante una negociación importante de finca raíz entre dos equipos altamente efectivos, el equipo A agrega a un experto en el ordenamiento territorial de esa zona de la ciudad, quien predice la posibilidad de unos cambios futuros en el área, lo que afectaría la negociación. De ese modo la posición del equipo A se ve fortalecida.

Ejemplo: Recientemente una amiga me preguntó sobre lo que podría hacer respecto a su hijo adolescente (quien tenía una incapacidad menor) para convencer al psicólogo, a la trabajadora social y al director del colegio de no transferir a su hijo a una escuela de educación especial sino de permitir que continuara estudiando en la institución. Yo sugerí que me permitieran participar en la próxima reunión por las siguientes tres razones: (1) Mi doctorado suministraba credibilidad que aportaba equilibrio a la discusión (vea "El poder de la legitimidad" en la página 50), (2) Agregarme al equipo equilibraba los números (tres contra tres), y (3) Yo podría aportar una perspectiva fresca. Durante la reunión yo hablé poco. Mi presencia (1 y 2) parecía hacer la diferencia. La negociación concluyó con un resultado favorable.

5. Cambie el horario

En la mayoría de las negociaciones el factor del tiempo es absolutamente crítico (vea "El poder del tiempo," en la página 62). ¿Cómo puede usted utilizar el tiempo para la ventaja de ambas partes?

- ¿Puede usted adelantar o atrasar el tiempo de cierre?
- ¿Podría usted extender los términos aplicando mayores tasas de interés?
- En una transacción de finca raíz, ¿pudiera usted como el vendedor permitir que el comprador tomara posesión de la casa un mes antes, de modo que los niños pudieran comenzar la escuela a tiempo?

Ejemplos:

- "Analizándolo desde el punto de vista del tiempo, ¿hay algo que usted pueda sugerir que pudiera beneficiarle tanto a usted como a mí?"

- ¿Podría usted reducir el precio si podemos extender el tiempo de entrega?
- "Si firmáramos un contrato de dos años en vez de un año, ¿qué otras consideraciones pudiera usted hacer?"

Observe la naturaleza de las preguntas abiertas-cerradas. Al aplicar estas sugerencias, es posible que obtenga más de lo que inicialmente esperaba. Además, es posible que extender el contrato a dos años resulte muy deseable para su compañía.

6. Cambie los niveles

Cambiar su posición de negocio un nivel arriba o abajo puede ser una excelente alternativa para un impase. Para detalles sobre esta alternativa, vea "Cambio de niveles," en la página 175.

RECONSTRUYA EL MOMENTO

Las negociaciones son como las competencias deportivas: el momento es lo máximo. Consideremos tres formas de reconstruir el momento:

7. Recapitule o haga un resumen

Los procesos de negociación con frecuencia son detallados y complejos. Cuando ocurre un impase, ayuda regresar y revisar el progreso de los acuerdos logrados hasta el momento. Siempre es muy animador examinar cuánto se ha logrado... y eso, constituye un momento muy importante.

Por ejemplo: "Bien, veamos Cynthia; ya hemos acordado... [Mencione la lista de los puntos ya acordados]. Lo que nos falta en realidad es más sencillo."

8. *Introduzca otro tema*

Cuando se presenta un impase, una de las mejores técnicas de sortearlo es mediante cambiar temporalmente de tema. Centre la atención en otro asunto en donde ambas partes puedan llegar a un fácil acuerdo. De nuevo, se hace un gran momento cuando se desvía temporalmente la atención del impase.

Ejemplo: "Jaxon, parece que hemos tenido una dificultad en este asunto. ¿Qué opinas si avanzamos hacia el siguiente tema para ver si lo podemos resolver? Luego, podemos regresar a este asunto." La mayoría de veces que se usa este enfoque se logra conseguir una respuesta positiva. Si eso no ocurre... usted tiene otras veinticinco alternativas que pueden funcionar.

9. *Consiga un acuerdo en principio*

Logre llegar a un acuerdo en cualquier asunto, aunque sea solo en principio

Ejemplo: Las dos partes pudieran concordar que en el pasado siempre se pudo llegar a una solución de mutuo beneficio: "Jay, en los tres años que hemos estado trabajando juntos, siempre hemos podido llegar a un acuerdo, ¿no es así?"

De forma alternativa, las partes pudieran concordar en fijar un plazo para finalizar la negociación: "Jay, propongámonos que si no hemos solucionado este asunto a las 5:30, lo volvemos a considerar mañana, ¿te parece bien así?"

De igual forma, ustedes pueden fijar un procedimiento para resolver las diferencias mayores como se explica en el principio de asociación número 8, de la página 23.

Todos estos son buenos ejemplos de lograr un acuerdo en principio, lo que puede conducir a reconstruir el momento de la negociación.

INCLUYA ALGÚN TIPO DE BONO

10. Sugiera una concesión condicional

Cuando se encuentre en un impase, considere la posibilidad de hacer alguna concesión condicional. Usted concordaría en conceder algo si la contraparte acuerda hacer lo mismo. Cuando considere la opción de hacer una concesión condicional, tenga en mente el concepto del valor relativo (página 78). Por valor relativo debemos entender que los elementos de una negociación pueden tener valores diferentes para las partes involucradas. Si usted puede conceder algo que implique un valor relativamente bajo para usted, pero que represente un valor alto para la contraparte, entonces ello será una concesión valiosa para ambas partes. De manera similar, lo contrario también es cierto.

Ejemplo: Yo estaba negociando el arrendamiento de una oficina y ocurrió un impase. Yo no estaba dispuesto a pagar lo que el propietario estaba pidiendo y entonces ofrecí rentar un conjunto más grande de oficinas y por un periodo de tiempo más largo, si el propietario hacía la concesión en el precio que yo solicitaba. Aquello resultó en un buen trato para ambas partes. El arrendamiento por más tiempo obviamente constituía una ventaja para él, pero también para mí porque significaría que no me tendría que trasladar si tenía espacio para expandir mi negocio. Al principio, pude subarrendar las oficinas que no iba a ocupar durante los primeros meses del acuerdo. Adicionalmente, pude controlar el tiempo del subarrendamiento, de modo que pude planear mi expansión sin tener que cambiar de oficinas. Un verdadero arreglo gana-gana.

11. Revele algo

Tomar la decisión de revelar información confidencial siempre es un asunto delicado en una negociación. Obviamente, hay muchas razones por las que cierta información confidencial no debe ser revelada. Sin embargo, cuando usted está ante un impase, la revelación de cierta información confidencial puede conducir a una relación gana-gana. Esto puede ser particularmente útil cuando usted siente que la otra parte ha desplegado principios de asociación y ha estado dispuesta a compartir cierta información confidencial con usted.

Ejemplo: Como fabricante, usted normalmente no comparte con su distribuidor principal la información de los costos de producción del producto que él compra de usted. Sin embargo, en esta ocasión, este distribuidor está a punto de irse para la competencia porque siente que usted está teniendo un lucro exorbitante. En estas circunstancias es posible que usted decida compartir parte o toda la información confidencial sobre sus costos de producción con la esperanza de mantener la confianza de él en usted y por supuesto, con la intención de mantener el negocio.

Las revelaciones de su parte, pueden animar a la contraparte a corresponder con revelaciones similares, particularmente cuando se acompaña de una pregunta como: "¿Sé todo lo que debería saber sobre este asunto?" Cuando usted hace esa pregunta, ¿qué se pregunta la contraparte? Probablemente la contraparte está pensando: "¿Qué no mencioné que debería haber mencionado?" Cuando la otra parte lo ve a usted como un socio, estará más inclinada a compartir (o a intercambiar) información confidencial. Esta técnica es mucho más común hoy en día que en el pasado dado que más y más personas están utilizando el enfoque de asociación.

12. Utilice la táctica de añadir

Esta alternativa simplemente logra suavizar el trato agregando algo de valor cuando usted enfrenta un impase. El negociador sabio siempre guarda algo para ofrecerlo más tarde durante la negociación con este objetivo en mira. O tal vez deba buscar algún elemento adicional que pueda ofrecer, como en el siguiente ejemplo:

"Matthew, estamos tan cerca de cerrar el acuerdo. Si logramos perfeccionarlo hoy, yo podría hacer que mi jefe aprobara... [Mencione algún asunto adicional]. ¿Qué te parece?"

Si él dice sí, entonces diga: "¿Eso significa que si yo puedo hacer que mi jefe [mencione el asunto adicional] sin costo adicional, cerramos el acuerdo?" Si Matthew responde favorablemente, diga: "Bien, voy a intentarlo." Esto deja a Matthew con la sensación que usted puede hacer que el asunto se apruebe, en vez de dejarlo con la sensación que el asunto se va a enfriar y haciéndole dudar si debió haberse comprometido en el trato. Si él dice no, diga: "Está bien. De todos modos creo que mi jefe lo hubiera aprobado." Observe cómo esa declaración nivela el terreno de juego. Implica que su concesión sugerida de todos modos no se hubiera aceptado.

13. Suministre una garantía

Esta técnica es particularmente efectiva cuando la contraparte percibe el riesgo de la transacción como mayor de lo que usted considera. Algunas veces la otra parte está renuente a aceptar el trato no por términos particulares del acuerdo, sino porque le preocupa que algunos términos del contrato no se cumplan. Elimine esa posibilidad suministrando una garantía.

Ejemplo: Este principio funcionó muy bien con el mercadeo de mis productos educativos. Cuando algunos clientes se enteraban del precio preguntaban: "¿Cómo sé si vale la pena la inversión?" Entonces me di cuenta que podía eliminar cualquier preocupación suministrando una garantía de devolución del dinero.

Si ellos no conseguían como mínimo tres veces el retorno de la inversión, entonces podían devolverlo durante el primer año para un reembolso total. Las ventas se incrementaron inmediatamente y yo eliminé el riesgo del comprador.

Otros ejemplos:

- Los distribuidores de vehículos proveen garantías para la venta de sus vehículos nuevos y usados. Saben que mientras más vehículos vendan, se pagan más fácilmente los costos de reparación.
- Los vendedores de artículos al retal ofrecen "el precio más bajo," para construir la reputación de que sus precios son los más bajos (y rara vez tienen que hacer la devolución del dinero o rebajar el precio).
- El vendedor de una casa garantiza al comprador que asumirá los costos de reparación si la casa presenta goteos durante el primer año pero está seguro que el techo durará en buenas condiciones durante varios años. La garantía cierra la transacción y el riesgo bien vale la pena.
- El hombre que trabaja en oficios varios garantiza a sus contratantes que si no quedan satisfechos con el trabajo, no tienen por qué pagarle el servicio.
- El empleado solicita una garantía de "no transferencia" en su contrato de trabajo para asegurar que él y su familia puedan estar localizados permanentemente en una ciudad.

14. Agregue opciones

¿Qué opción pudiera ser añadida que pudiera representar algo de valor para las dos partes? Aún si aquello representa ventajas para solo una de las partes, puede significar que los negociadores lleven a cabo un acuerdo difícil. La clave aquí es la creatividad.

Ejemplo: El agente de un sobresaliente mariscal de campo que es nuevo en su condición estaba negociando un contrato de tres años con el equipo de la Liga Nacional de Fútbol. Era la víspera en que el entrenamiento debía comenzar y tanto el equipo como el agente esperaban tener al mariscal en el terreno de juego al día siguiente, pero tenían una diferencia de varios miles de dólares. El representante del equipo le preguntó al agente: "¿Por qué vale tanto tu mariscal de campo?"

Después de una breve pausa el agente dijo: "Por la cantidad de tiempo que duran estos tres años del contrato..." a continuación el agente hizo cuentas del tiempo de juego que el mariscal jugaría durante esos tres años.

El equipo pidió hacer un breve receso. Después regresaron con una nueva propuesta y el salario base que el equipo había propuesto anteriormente, más un bono (opción) basado en el tiempo que el mariscal jugaría cada año, lo que daba el total exacto de lo que el agente estaba pidiendo. ¿Cómo podía él rechazar la oferta? El uso perfecto de una opción superó un impase. El mariscal firmó el contrato en ese momento y al día siguiente estaba en el campo de entrenamiento. Las partes lograron superar una brecha de varios miles de dólares en menos de una hora a través de una opción creativa.

CONÉCTESE CON EL LADO SENSIBLE DE LA NEGOCIACIÓN

15. Reconozca y exprese sentimientos

Esta es una técnica que es muy bien utilizada por quienes entienden el papel y la importancia de los sentimientos implicados en una transacción. (Para mayor información, vea el encabezado "Reconozca los sentimientos como factores," de la página 18)

Cuando ambas partes expresan su sentir respecto a la negociación, se despejan dudas y se avanza en el proceso. Recuerde, usted no tiene que concordar o respaldar los sentimientos de la otra parte. No obstante, el solo hecho de reconocerlos, puede hacer que la otra parte se sienta más a gusto.

Ejemplo: "Hunter, me siento un poco desanimado y frustrado por no haber podido alcanzar un acuerdo hasta ahora. ¿Cómo te sientes al respecto?"

Continúe compartiendo sentimientos, según sea apropiado. Exprese sus sentimientos y trate que la otra parte también se exprese. Recuerde nuestra consideración sobre "¡Los sentimientos primero, luego los pensamientos!" Es difícil pensar con claridad cuando uno no entiende o reconoce sus propios sentimientos. Es muy difícil conocer las necesidades de la otra parte, cuando uno no conoce lo que está sintiendo. Con frecuencia, una parte de la necesidad de la contraparte es que usted entienda sus sentimientos.

16. Utilice empatía

El uso de la empatía es particularmente efectivo con personas orientadas hacia las relaciones. Expresar empatía a esta clase de personas fortalece las relaciones y estimula un entorno de asociación.

Ejemplo: "Mark, creo que sé lo que se siente estar en su situación. Justo el mes pasado yo estuve en esa misma situación cuando..." El uso de la empatía también puede combinarse efectivamente con la estrategia Comprendo – conozco – esta es la solución (vea la página 178).

17. Utilice el buen humor

El uso apropiado del buen humor puede ayudar a aliviar la tensión y a relajar la situación tensa de un impase.

Ejemplo: Durante una negociación reciente un equipo negociador indicó un plazo límite a las 5:00 PM. para su propia ventaja. A medida que se acercaba el plazo, el otro equipo negociador dijo que asumía que la hora era la estándar del pacífico, puesto que todos ellos eran de California y justo acababan de llegar de su vuelo procedente de Chicago. Todos prorrumpieron en risas ante la confusión, lo que alivió la tensión y les suministró dos horas de tiempo adicionales para negociar.

UTILICE LA AYUDA DE UN TERCERO

18. Invite a un experto

Esta alternativa utiliza el poder de la experiencia (vea la página 59) para resolver el impase. La legitimidad y la fuerza que un experto añade con frecuencia hacen la diferencia en una negociación difícil. Aparte de las nuevas ideas y de la credibilidad, con frecuencia la presencia de un experto crea un momemtum adicional.

Ejemplos:

- Un abogado para asuntos legales.
- Un contador para asuntos contables.
- Un ingeniero o un científico para la experiencia técnica.
- Un médico para asuntos de salud.
- J. D. Power and Associates para una perspectiva industrial de impacto.
- Un experto en negociación para un gran negocio.

19. Remítase al comité de estudio

En los casos de las negociaciones de gran envergadura, una de las alternativas cuando ocurre un impase es la de remitir el asunto a un comité de estudio, el cual puede aportar ideas y opciones adicionales. Este comité pudiera estar conformado por representantes de cada organización participante en la negociación. El personal adicional puede explorar posibilidades con mente abierta y aportar soluciones gana-gana que no se lograrían de otra manera. El comité adjunto da a conocer sus conclusiones a los negociadores de cada parte y aporta nuevas perspectivas para abordar la transacción.

Ejemplo: Dos organizaciones comerciales en industrias estrechamente relacionadas, aunque competidoras en varios aspectos, tienen la oportunidad de promover juntas causas similares. Los dos directores ejecutivos (ambos asalariados) negocian el uno con el otro en un intento por construir una alianza que supla las necesidades mutuas. Las cosas no parecen estar progresando bien, de modo que el presidente de uno de los grupos (un miembro elegido y no asalariado) se acerca a su contraparte y le sugiere que cada grupo seleccione a cuatro personas de cada organización y conforme un comité de estudio adjunto de ocho miembros. El comité se reunirá y presentará sugerencias a ambos presidentes y a los directores ejecutivos, quienes entonces tomarán las decisiones que resulten convenientes.

20. Utilice un mediador o un árbitro

Incluir a un tercero cuando surge un impase siempre es una muy buena opción, especialmente cuando ambas partes tienen expectativas bastante altas. Determinar de antemano, o aún cuando las conversaciones lleguen a un punto muerto, que una tercera parte actúe como mediador o árbitro puede resultar ser una decisión muy sabia. Esto es particularmente útil cuando el no llegar a un acuerdo puede resultar en un desastre para ambas partes. En esta categoría podríamos incluir muchas huelgas y ceses de actividades. Usted pudiera sugerir esto a la otra parte diciendo: "Rob, este es un gran negocio para ambas partes. De alguna manera tenemos que llegar a un acuerdo. He estado pensando en maneras en que podamos hacer esto de una forma que resulte procedente para ambas partes. ¿Qué te parece la idea de utilizar a una tercera parte que sea neutral?"

Un mediador puede lograr que ambas partes lleguen a un acuerdo, mientras que un árbitro generalmente tiene el poder de tomar decisiones si las partes no logran llegar a un acuerdo. Una excelente técnica que puede utilizar un árbitro para poner de acuerdo a las partes consiste en solicitarles que presenten sus sugerencias para lograr el acuerdo que resulte más razonable. Entonces el árbitro escoge *la oferta que resulte más razonable*. Obviamente esto ayuda a evitar que se produzcan ventajas o desventajas (página 168). Con frecuencia sucede que ambas partes hacen ofertas muy cercanas la una a la otra, porque saben que el árbitro va a seleccionar *la más razonable*.

21. *Acuda a un aliado*

¿Quién puede ser un aliado? ¿Existe alguien que pueda influenciar a la otra parte, como por ejemplo, un amigo en común, un asociado comercial, un familiar o alguien cercano a la otra parte? ¿Pudieran ellos influenciar directa o indirectamente a la otra parte? Si así es, acuda a un aliado en busca de ayuda.

Ejemplo: "Emma, ¿puedo sugerirte que hables con Jan Hill? Ella ha utilizado nuestros servicios por más de dos años y ha quedado muy complacida con los resultados." Otra opción es pedirle a Emma que haga una llamada si resulta conveniente.

En los equipos de negociación, vea si puede encontrar un posible aliado en el equipo de la contraparte. ¿Hay en ese grupo alguien que parezca estar más dispuesto a hacer concesiones o con quien resulte más fácil trabajar? Si es así, concentre las negociaciones con esa persona. En otras palabras, busque la ruta de la menor resistencia en la contraparte y consiga aliados.

UTILICE LA TÉCNICA DEL TIEMPO

22. Tome un receso

A veces algo tan simple como tomar un receso puede ayudar a relajar una situación tensa y a estimular la creatividad. Es cierto que el problema no desaparece; no obstante la forma de manejar el impase puede cambiar. Las posturas inamovibles tanto suyas como de la contraparte pueden cambiar transcurrido un tiempo y esto puede ser justo lo que se necesita para desbaratar el nudo. La extensión del receso debe ser apropiada según las circunstancias, pero siempre debe estar dentro de un lapso de tiempo razonable. Entre más largo, mejor. Si se puede posponer por un día o por más tiempo, mejor. Invierta al menos una porción del tiempo del receso a descansar. Entonces dígase a sí mismo: "¿Cómo puedo ver este asunto desde una perspectiva distinta?" Pida consejo a familiares, amigos o personas de confianza.

Ejemplo: "Margaret, tengo una idea: ¿Por qué no tomamos un receso y reanudamos nuestras negociaciones esta tarde? ¿Cómo está tu horario?"

Cuatro de cada cinco veces la contraparte está dispuesta a tomar el receso. Anime a la otra parte a hacer lo mismo que usted va a hacer durante el receso, es decir, descansar y tratar de ver las cosas desde una perspectiva diferente.

23. Utilice la táctica de "la catástrofe final"

Aunque esta táctica se concentra en lo negativo en vez de lo positivo, explicar las consecuencias de no llegar a un acuerdo puede hacer reaccionar a la otra parte y la puede conducir a hacer una concesión o a cerrar el acuerdo. Cuando utilice esta táctica para superar un impase, considere la forma de presentar el asunto de la forma más positiva posible. Puede ser abordado desde la óptica que a usted sinceramente le interesa el bienestar de la otra parte y que por ello llama la atención a las posibles consecuencias. Aún cuando usted esté considerando cosas negativas puede hacerse de forma constructiva, en vez de destructiva.

Ejemplo: Una disputa entre un sindicato y la gerencia amenazan con terminar en un cese de actividades. Cuando ambas partes miran las posibles consecuencias de ello, se ve un panorama sombrío. Si no se logra un acuerdo, ambas partes se verán considerablemente afectadas. Esa condición de "catástrofe final" debería motivar a ambas partes a buscar una mediación o un árbitro. "Coreen, he estado analizando esta situación desde sus múltiples perspectivas y nuestras organizaciones estarán en graves aprietos si no logramos resolver esto. ¿Cómo pudiéramos llegar a un acuerdo en común?"

Ejemplo: Usted está intentando comprar la casa de alguien que está enfrentando una posible liquidación. Usted le explica sus posibles opciones: (1) Él puede vender la casa aún cuando no reciba todo lo que pide por ella, o (2) la casa entra en un proceso de liquidación y la persona no recibe dinero y ello afecta su reputación crediticia. El primer escenario no es bueno, pero el segundo es un verdadero desastre.

24. Presente una situación hipotética

Las situaciones hipotéticas con frecuencia estimulan la creatividad en la contraparte. Usted puede utilizarlas para dirigir su pensamiento en una dirección más favorable a su posición o a su propuesta, por medio de ayudarles a ver situaciones y circunstancias que no hayan considerado antes.

- "¿Qué sucedería si yo consigo que mi esposa esté de acuerdo en que usted tome posesión de la casa para el primero de marzo?"
- "Si yo lograra cambiar el día de entrega para una fecha anterior, ¿eso le representaría a usted alguna ventaja?"
- "Si yo pudiera hacer que usted no tuviera que pagar intereses de financiación por un año y que no tuviera que pagar la primera cuota sino hasta noviembre, ¿eso le resultaría práctico a usted?"

Note que en la primera instancia, no se ofrece la posesión de la casa el primero de marzo, sino más bien, existe la posibilidad de que eso suceda, si *la esposa* concuerda en ello. En las otras dos preguntas parece que las situaciones hipotéticas pueden hacerse realidad con una respuesta afirmativa de *la otra parte*. Al presentar situaciones hipotéticas normalmente es mejor proponer la pregunta como el caso de la primera, es decir, de una manera en que la respuesta afirmativa de la otra parte haga que se celebre el convenio, con tal que usted pueda conseguir la aprobación (la cual se puede conseguir o no). De esa forma, usted conserva el poder y la otra parte acuerda avanzar si se logra obtener esa aprobación.

25. Ilustre

Cuando surge un impase, siempre es una buena alternativa hacer uso de gráficos, tableros, presentaciones en Power Point o sencillamente ilustrar en el papel su punto de vista (y en algunos casos el de la contraparte). El reducir los hechos o las cifras, los acuerdos o las diferencias al texto escrito puede ser muy útil en aras de la claridad, y con frecuencia esto hace que se disipe un impase.

Ejemplo: En una ocasión fui consultado por un jugador de golf profesional quien no estaba logrando todo su potencial en el

Tour. Yo le pedí que pusiera por escrito dónde le gustaría estar en un año, en cinco, en veinte y en veinticinco. Después de varias dificultades para completarlo durante algunas semanas, finalmente culminó su tarea. Su comentario fue: "Esto realmente me ayudó, pues una vez lo pude poner por escrito, pude ver qué era lo que necesitaba hacer y cuándo lo necesitaba hacer." Esto lo puso de vuelta en el camino correcto. Su juego de golf mejoró notablemente. Escribir ayuda a cristalizar el pensamiento, el cual a su vez, lleva a la acción motivada. Y ambas cosas, el pensamiento cristalizado y la acción motivada, son con frecuencia los elementos que se necesitan para superar un impase.

Ejemplo: Una parte en una negociación sugiere: "Estamos atravesando un impase y hay cuatro puntos en los cuales no hemos concordado. Hagamos una lista de esos cuatro elementos y tengamos cada uno una copia de esa lista. A continuación, escribamos brevemente en esa lista nuestras posiciones y demos a la otra parte una copia de estas." He observado que cuando esto ocurre, ambas partes se ponen en condición de sugerir ideas que puedan ayudar a resolver el impase. La parte A pudiera sugerir que si la Parte B hiciera cierta concesión en el punto 1, entonces la parte A pudiera hacer una concesión diferente en el punto 3. La parte B pudiera sugerir que si la parte A hiciera cierta concesión en el punto 2, entonces la parte B pudiera hacer una concesión en el punto 4. Es absolutamente sorprendente la claridad que puede resultar cuando las diferencias se reducen a lo escrito.

26. Posponga

Cuando todo lo demás falla, no suponga que la negociación se ha terminado. En muchos casos, usted puede posponer la negociación, si es necesario indefinidamente. Eso es mejor que terminarla. Esta alternativa se puede utilizar eficazmente cuando

(1) El transcurrir del tiempo en sí mismo puede ser parte de la solución, y (2) Cuando nada más parece haber funcionado. Este es el escenario de la última oportunidad, por decirlo así.

Bien, ahí lo tiene. Su equipo de primeros auxilios. Veintiséis formas de resolver los asuntos cuando el proceso de una negociación se detiene. A veces es necesario utilizar varios de estos puntos en combinación. Si alguno no funciona, utilice los demás. Algunos pudieran presentar efectos colaterales. Algunos de estos implican riesgos. Antes de utilizarlos, asegúrese que los efectos colaterales valen la pena el riesgo.

Mantenga esta lista a la mano. Muchos de los asistentes a mis seminarios, me han informado meses y aún años después, lo mucho que les han ayudado estas veintiséis alternativas a superar impases difíciles. Sinceramente deseo que estos principios puedan hacer lo mismo por usted.

TERCERA PARTE

ACÓPLESE A SU ENTORNO

. . . .

¿Dónde se encuentra usted?

¿Cómo se encuentra?

8

El lenguaje corporal

"Como regla general, todo lo que se grite o se susurre,
es algo que vale la pena oír"
— FREDERICK LANGBRIDGE

La habilidad de leer el lenguaje corporal puede constituirse en un bien invaluable en la interacción humana, pero particularmente en el ámbito de una negociación. La gente tiene diversas opiniones sobre el valor de leer el lenguaje corporal. Algunos lo descartan por completo, mientras que otros tienden a tomar demasiadas decisiones basándose en éste. La verdad es que necesitamos encontrar un punto medio, y esto es cierto porque el lenguaje corporal es un arte, no una ciencia. Es una herramienta que, con un poco de estudio y práctica, puede suministrar excelente información respecto a los sentimientos y a los procesos de pensamiento de las demás personas.

La lectura del lenguaje corporal no es en ningún sentido una disciplina exacta. El que alguien tenga los brazos cruzados no siempre significa que está en una posición defensiva, o que alguien que pone su mano en la boca automáticamente está mintiendo o no se siente seguro de sí mismo. No obstante, el lenguaje corporal por lo general suministra información valiosa sobre el estado emocional de una persona. Teniendo en mente esto, es probable que usted lea el lenguaje corporal mejor de lo que cree. Con frecuencia demuestro esto a mis audiencias cuando les proyecto imágenes de personas en varios contextos de interacción y les hago preguntas acerca de lo que está sucediendo. Resulta sorprendente ver la consistencia y la exactitud de sus respuestas, aún en países distintos.

Existen muchas coincidencias interculturales en lo relacionado con el lenguaje corporal. Sin embargo, también existen numerosas diferencias críticas. Pudiéramos dedicar un libro entero a considerar las similitudes y las diferencias culturales del lenguaje corporal. Dada la extensión de este tema, no intentaré hacer una consideración detallada de este asunto aquí. Anteriormente hemos mencionado la disponibilidad de los cultugramas, los cuales suministran información útil sobre muchas culturas (vea la página 47).

Existen muy buenas razones para estudiar el lenguaje corporal:

Para observar lo que la otra parte pueda estar sintiendo o pensando. Estudios que se han realizado indican que es difícil fingir el lenguaje corporal. Una persona que sea experta en leerlo puede obtener información valiosa sobre la contraparte. Puede ser que lo que el lenguaje corporal indique sea totalmente opuesto a lo que la persona diga verbalmente.

Para comunicarse más eficazmente. La comunicación se compone de tres aspectos: las palabras que usted dice, cómo las dice y lo que hace con su cuerpo cuando las dice. Y considero que las últimas dos son tan importantes como las palabras que se pronuncian.

Para entender cómo el lenguaje corporal afecta lo que usted piensa y siente. Los seres humanos tendemos a sentirnos y a pensar de acuerdo a la postura que tenga nuestro cuerpo. Por ejemplo, si usted va a iniciar una negociación importante y se siente un poco inseguro de sí mismo, asuma una posición corporal que indique más confianza. Como dice la vieja canción, "Silbaré una tonada alegre / te haré creer que eres valiente / y el truco te llevará lejos / serás tan valiente / como quieras serlo."

Ahora examinemos el significado generalmente aceptado de algunos gestos y posiciones. Una de las mejores maneras de estudiar el lenguaje corporal consiste en considerar los gestos que indican confianza o inseguridad.

Posiciones o gestos que indican confianza

Tocarse la punta de los dedos de una mano con la otra es un gesto sutil pero importante que indica confianza en sí mismo. Por lo general, si esto se hace a un mayor grado, se indica mayor confianza. Sin embargo, hacerlo momentáneamente o de forma reservada, también puede indicar bastante confianza. Este gesto puede estar indicando: "Yo sé algo que usted no sabe."

Manos detrás de la cabeza, recostarse en la silla. Imagine a dos abogados, sentados con las manos cruzadas por detrás de sus cabezas y recostados en sus sillas. Es una señal de total confianza ya que abrir completamente el cuerpo por lo general significa que no se siente vulnerable.

Dedos pulgares a la vista. Visualice a un hombre con su mano introducida entre los botones de su chaqueta y con su dedo pulgar a la vista. ¿No es verdad que ese hombre se siente seguro? No hay duda de ello. Visualice a una mujer con ambas manos introducidas en los bolsillos de delante de su jean, de nuevo con sus pulgares a la vista. De seguro, esta mujer se siente muy segura de sí misma.

Gestos de posesión. Imagine a una persona con su mano, brazo o pierna apoyados sobre un objeto como por ejemplo un automóvil, un yate, un edificio, un escritorio u otra persona. Es como verla diciendo: "Yo poseo esto y me siento confiado por ello."

Sentarse en una silla a horcajadas. Hay dos cosas que usted puede decir de este individuo. En primer lugar, este hombre es probablemente un pensador muy creativo y lo está expresando en la forma singular en que usa la silla. En segundo lugar, definitivamente está demostrando confianza. Esa por supuesto no sería la posición que usted adoptaría con su jefe para pedir un aumento en su salario, especialmente si usted desea manifestar respeto y modestia.

Sostener la mirada es otra muestra de confianza. No obstante, tenga en mente las diferencias que pueden haber entre las personas y las diferencias culturales. Algunas personas y algunas culturas mantienen contacto visual sobre una base más consistente. Como sucede con cualquier otro tipo de lenguaje corporal, lea la señal en el contexto global.

Manos entrelazadas detrás de la espalda. Este es otro buen ejemplo de una posición de confianza. ¿Recuerda usted al director de su escuela secundaria o a su capitán en el ejército? ¿No era común que ellos se dirigieran al grupo con las manos entrelazadas en la espalda, quizás con la cabeza un tanto inclinada hacia atrás, y probablemente mirando con su nariz apuntando hacia usted? Como todos los gestos y las posiciones corporales este puede indicar que alguien se siente muy seguro o que está intentando hacerle creer a usted que se siente muy confiado. El lenguaje corporal es muy difícil de fingir. Entre más lo estudie, mejor lo entenderá y mejor identificará una posición o gesto engañoso.

Posiciones o gestos que indican inseguridad

La hoja de higuera. Con frecuencia ilustro esta postura pidiendo que un voluntario se presente delante de mi audiencia. Yo le acompaño hasta el frente del auditorio y le hago ponerse de pie sobre una plataforma elevada. En seguida me paro a su lado. La audiencia se pone en total silencio con sus ojos enfocados en mi voluntario.

¿Qué postura tiene él? Imagínelo, manos entrelazadas al frente en la típica postura de la hoja de una higuera. Él se siente incómodo, expuesto y con falta de seguridad al punto que su lenguaje corporal lo revela.

Manos hacia la boca o el área de la nariz. Existen probabilidades que la persona se sienta insegura, tenga dudas o que no se sienta segura respecto a algo. Explore lo que eso significa haciendo las preguntas apropiadas. Los expertos señalan que cuando una persona está diciendo una mentira, levanta su mano en dirección a la boca o a la nariz. Es importante señalar que cuando una persona pone su mano en la boca o en la nariz eso no significa necesariamente que esté mintiendo o experimentando falta de confianza. Tal vez solo tenga rasquiña en la nariz. Siempre se debe poner el lenguaje corporal en contexto.

Falta de contacto visual (o menor contacto visual de lo normal). Esta es otra señal de falta de seguridad. Esta es una pista en la cual usted necesita averiguar la fuente de la inseguridad. ¿Sienten inseguridad por...

- ¿lo que usted dice?
- ¿lo que ellos están diciendo?
- ¿no sentirse seguros de manejar la negociación?
- ¿su integridad?
- ¿la integridad de ellos?

Parpadeo más rápido que el normal. Entre más frecuente parpadee una persona más insegura se siente. Haga el siguiente experimento: ponga un canal de noticias y ponga el televisor en modo de silencio. Observe el ritmo de parpadeo del periodista. Cuando este informa una historia con la cual se siente incómodo, su frecuencia de parpadeo aumenta. Los expertos enseñan a los agentes de aduana a hacer preguntas y a monitorear la frecuencia del parpadeo. Si esta aumenta, extienden el interrogatorio.

Ejemplo: Yo tuve una conversación intensa pero agradable con un amigo sobre un tema en el cual que me sentía bastante confiado. Cuando terminé, mi amigo hizo un comentario muy interesante. Dijo: "¡Jim, no parpadeaste ni una sola vez durante toda la conversación!" Por supuesto, en ese momento yo no había sido consciente de ese hecho, pero entonces pensé: "Vaya, sí que quería comunicar esas ideas tan importantes y en verdad me sentí muy seguro mientras las estaba diciendo." El asunto quedó evidente por el lenguaje de mis ojos.

En relación con las tres razones para estudiar lenguaje corporal según se considera en la página 120, utilice su conocimiento sobre los gestos que indican inseguridad o confianza para:

- Determinar si la otra parte se siente segura o insegura.
- Comunicarse más eficazmente con la otra parte por medio de utilizar gestos que demuestren confianza o inseguridad dependiendo de lo que usted desee lograr.
- Asumir estas posturas durante o en preparación para una negociación para sentirse mas seguro o inseguro.

Usted pudiera preguntar: ¿Por qué razón querría yo aparecer inseguro? La razón es que a veces usted pudiera parecer sobre confiado, lo cual pudiera abrumar a la otra parte.

De forma similar, tenga en cuenta los gestos y las posiciones que se explican abajo:

Más pistas sobre lenguaje corporal

Las palmas de las manos: abiertas versus cerradas. Una mano abierta puede indicar calidez, amistad, franqueza, honestidad y sumisión. Piense en todos los gestos donde se despliegan las manos abiertas. ¿Percibe usted la calidez que transmiten las manos abiertas? Lo opuesto también es cierto cuando las manos se encuentran cerradas o recogidas. Imagine un puño cerrado con el índice apuntando hacia abajo, mientras se hace una declaración enfática. La mano cerrada representa fuerza, poder, control y autoridad.

Hasta los apretones de manos demuestran esto. ¿Alguna vez ha saludado a una persona quien, además de tener un apretón fuerte, saluda con la palma de su mano hacia abajo? La mano de la persona dominante se ubica en la parte superior haciendo que la otra mano se ubique en una posición de sumisión. Esta pudiera ser una indicación de que alguien quiere dominar o controlar.

Mano en la parte posterior del cuello. Si la persona está frotando su cuello y si hay indicación de dolor allí, es posible que la persona se sienta molesta. ¿Qué causa esa molestia? Es algo que usted deberá determinar a través del contexto y por medio de hacer preguntas bien dirigidas.

Rascarse la cabeza. Cuando esta señal va acompañada de gestos faciales de confusión, se está indicando que la persona no está entendiendo algo. Haga preguntas. Averigüe que es lo que la persona no entiende.

Un dedo bajo el cuello normalmente suele decir, "Tengo calor bajo el cuello", o "Me siento decepcionado o inconforme con respecto a algo."

Dilatación de las pupilas. Esta es una reacción natural que está más allá de nuestro control. Eso ocurre cuando uno se siente feliz, complacido o experimenta otros sentimientos positivos. Lo contrario también es cierto. Las pupilas de los ojos se contraen cuando la persona se siente airada, enojada o de algún modo está agitada. Si usted se encuentra lo suficientemente cerca de la persona como para ver el tamaño de sus pupilas, usted podrá leer los cambios en estas e inferir lo que la persona pueda estar sintiendo.

Ejemplo: Los jugadores profesionales de póker suelen utilizar gafas oscuras, de modo que la reacción natural de sus pupilas no los delate. Pueden mantener un rostro de "póker", es decir, inexpresivo, sin importar cómo vaya el juego.

Inclinar la cabeza. Por lo general significa que la persona está prestando atención al mensaje y que lo que está escuchando es muy importante para ella.

Ejemplo: Usted puede ver esta reacción natural en los caninos. Visualice al amo hablando a su perro: ¿ve usted al perro inclinando su cabeza mientras escucha atentamente cuando su amo le habla?

Golpear la barbilla. Hacer esto por lo general significa que la persona tiene curiosidad, está confundida, está demostrando interés sincero, está intentando tomar una decisión o tiene el deseo de aprender más. Si usted ve haciendo esto a alguien durante una negociación, suministre a la persona más información.

Manos que apoyan la cabeza. Aburrimiento o cansancio.

Orientación del cuerpo y de los pies. Las personas tienden a girar su cuerpo y particularmente sus pies hacia la puerta o el pasillo de salida cuando están pensando dirigirse en esa dirección.

Una inclinación del oído significa que el individuo quiere escuchar más. Suminístrele más información sobre lo que usted está hablando.

Posición elevada. Sentarse en una silla más alta o pararse cuando la otra persona está sentada le da poder a la persona. Entre más elevada esté, mayor poder tendrá. Si usted desea parecer más poderoso, busque una posición elevada. Si usted desea parecer amigable, humilde, abordable y con una disposición no amenazante, ubíquese en una posición por debajo o al mismo nivel de la otra persona. Como discursante, me gusta saludar a tantas personas como sea posible antes de mis presentaciones. Si ellos ya están sentados y yo estoy de pie, con frecuencia me inclino para ponerme a su nivel. Esto aumenta el raport y les hace sentir cómodos. Es posible que hasta las demás personas piensen que soy una persona agradable.

Posición de espejo. Significa adoptar la misma posición corporal de la otra parte. La idea es "sintonizarse" con ellos. Si ellos están recostados en su silla usted también se inclina en su silla. Si ellos cruzan sus brazos o sus piernas, usted hace lo mismo. Obviamente esto no se debe hacer de forma simultánea, de modo que la otra parte se percate de lo que usted está haciendo. Si usted utiliza esta técnica con cuidado y precaución podrá experimentar que realmente funciona.

Poner un objeto en la boca, como por ejemplo un bolígrafo o las gafas. Esto con frecuencia significa que la persona necesita más información. Suminístreles más detalles sobre el tema del cual les esté hablando. Esta generalmente es una señal positiva en una negociación. No obstante, es bueno contextualizar el gesto. Como ocurre con los demás gestos y posturas corporales, puede tratarse de un hábito (o simplemente la persona está lista para salir a almorzar). Preste particular atención a cuando un gesto no se utilice con frecuencia (no es un hábito), lo más probable es que tenga algún significado específico.

Levantamiento de pelusas. Cuando la persona con la que uno está hablando empieza a recoger pelusas imaginarias de su ropa, significa que está aburrida o que ha perdido el interés. Haga algo de inmediato para recuperarlo..

Brazos o piernas recogidas. Esto normalmente significa que la persona está asumiendo una posición defensiva:

- "Yo no acepto lo que usted está diciendo."
- "Mi mente no está abierta al diálogo."

Sin embargo, lea este gesto dentro del contexto de las demás cosas. Puede ser simplemente que la otra parte tiene frío o está en una posición incómoda.

Cuando yo tengo exposiciones ante grandes audiencias noto que entre el 10% y el 20% de los participantes tienen sus brazos doblados. No obstante, si un porcentaje mayor de la audiencia tiene los brazos cruzados, lo más probable es que yo me encuentre en apuros. ¿Qué hace un buen negociador o un buen discursante en esas circunstancia? Recuerde la tercera razón por la que estudiamos lenguaje corporal: influencia nuestro pensamiento. Entre más tiempo que la contraparte o la audiencia se mantenga en una postura defensiva, más probabilidades hay que empiecen a pensar de una forma negativa. Un buen negociador dice algo que haga que la otra parte deje de asumir su postura negativa. Puede ser algo tan simple como: "¿Puedes por favor alcanzarme ese bloque de papel?" o "De estas tres muestras, señale la que le gusta más," o "¿Por qué no nos ponemos de pie por un momento y estiramos los músculos?" Haga otra pregunta o diga algo que implique que ellos desdoblen sus brazos.

OTRAS CONSIDERACIONES EXTERNAS

Conformación del salón

El entorno físico puede desempeñar un papel importante en cualquier negociación. Aquí hay unos factores para considerar. Asumamos que usted se encuentra en su oficina de modo que tiene el control sobre el entorno. Su posición más poderosa es detrás del escritorio (o mesa) con las sillas de las demás personas alejadas lo máximo posible. No es un entorno muy agradable, pero lo pone a usted en la posición de poder. Ese no es exactamente el estilo que yo recomiendo porque personalmente no creo en las negociaciones que se hacen por intimidación.

Entre más cerca esté la silla de la contraparte de su escritorio o mesa, menor poder o autoridad tendrá usted. Se puede crear un entorno más amigable si mueve la silla a un lado del escritorio donde solo una pequeña porción del escritorio lo separe de la otra persona. La posición más cómoda, relajada y amigable para la contraparte es cuando usted se aleja del escritorio y se sienta en una de las sillas del frente, de modo que ambas partes pueden sentarse en sillas similares, sin nada que las separe.

Aquí hay una pregunta que suelo hacer en mis seminarios de entrenamiento. Supongamos que usted entra a un salón a negociar y encuentra que alguien ya ha tomado asiento en la mesa rectangular en uno de los lados largos de la mesa. Afortunadamente, hay otras tres sillas disponibles para usted en esa mesa y tiene la opción de escoger su silla. La silla A está inmediatamente al lado de la contraparte en el lado largo de la mesa. La silla B se encuentra en uno de los lados cortos, muy cerca al individuo. La silla C se halla contrapuesta al individuo al otro lado de la mesa. Si usted desea ser lo más efectivo posible en la negociación: ¿cuál de las sillas escogería?

El auditorio normalmente suele responder, "A," "B" y también "C," de forma simultánea. Yo concuerdo con todas las respuestas, dependiendo de lo que se quiera lograr. Los que dijeron A, es decir, la silla justo al lado de la persona, estaban pensando en crear un entorno de relación amistosa y tranquila, sin tener obstáculos entre las partes. La silla B, en el lado corto de la mesa, al lado del individuo, permite flexibilidad (usted puede moverse a un lado o al otro), y tener las ventajas de las posiciones A y C. Adicionalmente, usted tiene la ventaja de estar en la posición de poder porque se encuentra a la cabeza de la mesa rectangular. Otras personas escogieron la silla C, la que está opuesta al individuo. Esa sería la mejor opción si usted quisiera tener un entorno más formal o si tuviera el poder y quisiera conservarlo.

Vestido y color

Generalmente hablando, se logra proyectar más poder y autoridad cuando uno viste de manera más formal que el individuo con el cual se negocia. El color de la ropa que uno use con frecuencia causa una impresión fuerte en la otra parte. El color azul oscuro es el color más efectivo para proyectar poder. Esto es cierto tanto para los hombres como para las mujeres. Los accesorios que dan mayor contraste, quizás una camisa o blusa blanca con una corbata o accesorio rojo, proveen una impresión más fuerte de poder. En contraste, una camisa o una blusa de color azul suave no proyectarán el poder de una camisa o una blusa blanca. La corbata más brillante en el caso del hombre y los accesorios brillantes en el caso de la mujer, mientras estén a la moda, también acentuarán el poder. Sobra decir que mantenerse a la moda (sin obsesionarse demasiado con ello) es también muy importante.

Sin embargo, existen circunstancias, aún en una negociación donde quizás usted no necesite proyectar poder. Puede resultar conveniente, quizás para su propia ventaja, proyectar justo lo contrario. Cuando se intimida a la otra parte puede resultar negativo para usted. En esos casos elija colores que no proyecten poder. Si desea proyectar calidez y amistad, utilice colores tierra donde no haya mucho contraste y descubrirá cuán importante es el color en cuanto a proyectar imagen y poder.

Le animo a estudiar el lenguaje corporal en situaciones donde usted no esté bajo la presión de una negociación. Es posible que quiera poner su televisor en modo de silencio y ver cuánto puede entender con solo concentrarse en el lenguaje corporal. Otra excelente oportunidad de estudiar y aprender lenguaje corporal es cuando uno puede observar una negociación sin participar en ella. Hasta he descubierto que existe un programa de televisión que invita a un experto en lenguaje corporal quien evalúa a los candidatos políticos así como a otros líderes. Esta es otra manera excelente de aprender.

En este libro no he intentado suministrar un curso completo sobre lenguaje corporal, más bien, la intensión es estimular el pensamiento y dar unas pequeñas pautas que le pueden ser útiles en su próxima negociación.

9
LAS NEGOCIACIONES POR TELÉFONO

"Existen pequeñas diferencias entre las personas, pero esas pequeñas diferencias hacen la gran diferencia".
— W. CLEMENT STONE

Los conceptos y las técnicas presentados en este libro (lo que incluye la introducción y la conclusión) aplican de igual forma a las negociaciones telefónicas. El propósito de este capítulo es señalar las características singulares de las negociaciones por teléfono, así como las técnicas y los conceptos que le ayudarán a hacer la diferencia en ese tipo de negociación.

La selección de palabras que uno haga en el teléfono es muy importante, como lo ilustra el siguiente ejemplo: Si cuando usted llama para contactar a alguien la recepcionista dice: "¿Puedo preguntar quién lo está llamando?" da la impresión de que se están filtrando las llamadas. No obstante, si la recepcionista dice: "¿Puedo decirle quién lo llamó?" suena mucho mejor y no suena a selección de llamadas (aunque, de hecho, esté sucediendo).

Utilizar o no el teléfono es un asunto importante en una negociación. No existe una palabra final en este asunto. Existen por lo menos cinco razones para decidir utilizar la comunicación telefónica. Considérelas una a una para decidir si debe utilizar el teléfono en una negociación.

Es más rápido. Obviamente las negociaciones telefónicas ahorran tiempo y dinero. Este simple hecho hace que utilicemos el teléfono en situaciones donde el volumen de la transacción no justifica el tiempo y el costo que implicaría reunirse cara a cara. El teléfono es una excelente herramienta para empezar a reunir información para una negociación. Usted puede hacer muchas preguntas a través del teléfono para prepararse para la posterior negociación en persona.

El uso del teléfono puede dar lugar a malos entendidos. Dado que no existe la posibilidad de leer el lenguaje corporal (lo cual representa una gran ventaja en la comunicación en persona), en las conversaciones telefónicas se pueden presentar un número mayor de malos entendidos. Cuando esté en el teléfono haga un esfuerzo adicional por expresarse con claridad. Tome la iniciativa de hacer preguntas cuando ocurra un mal entendido. Tome notas sobre lo considerado y luego envíelas por correo electrónico para confirmar los puntos considerados.

Decirlo no es fácil. Puede que comunicar un asunto en particular a través del teléfono no resulte fácil. Si ese es el caso, o si usted se halla en una situación de desventaja es mejor procurar una negociación cara a cara.

La ventaja la tiene quien llama. Quien llama tiene la ventaja porque está preparado para la conversación. La mayoría de los errores que se cometen a través del teléfono ocurren por esta causa. Si usted es el receptor de la llamada y no está preparado, no cometa el error de continuar la conversación si no se halla preparado. Posponga la conversación hasta cuando se sienta listo para abordarla. Explique alguna razón justificable para no continuar con la conversación y entonces fije una hora más adelante para regresar la llamada. Manténgase alerta, una llamada lo puede tomar por sorpresa en situaciones como las siguientes:

• Se le llama para consultarle algo respecto a una negociación en proceso y usted no tiene la información o los archivos a mano.

• Usted está a punto de entrar a una reunión importante y no puede dedicar toda la atención a la llamada.

• Se le pide que tome una decisión sobre la cual usted necesita tomarse un tiempo para dar una respuesta.

Utilizar el teléfono elimina la ventaja de "jugar de local." Tenga en mente esto cuando el lugar donde se haga la negociación determine un efecto crítico en su resultado. Si la contraparte tiene control sobre el entorno y sabe cómo aprovecharse de este para su ventaja, es posible que usted quiera neutralizar esa ventaja por medio de negociar por teléfono o en algún otro lugar neutral (vea el capítulo 8, "Lenguaje corporal").

SUGERENCIAS PARA NEGOCIAR POR TELÉFONO

Teniendo en cuenta lo descrito anteriormente, consideremos ahora lo que uno puede hacer para negociar por teléfono con efectividad:

1. Esté preparado

Esto aplica a todo tipo de negociación, solo que es aún más importante cuando se está en el teléfono. Además de las medidas que se toman cuando uno va a realizar una negociación cara a cara, cuando se está en el teléfono uno debe asegurarse de tener disponible toda la información pertinente al alcance de la mano.

• ¿Ayudaría tener acceso inmediato a un computador y a Internet?
• ¿Hay expertos a quienes usted quiera consultar por medio de una teleconferencia?
• ¿Hay alguna otra información que usted necesite tener a su disposición, como por ejemplo, correspondencia, informes, archivos y así por el estilo?
• ¿Hay alguna lista de preguntas que usted quiera hacer?

- ¿Tiene usted una agenda donde incluya los puntos que quiere tratar?
- ¿Sería útil tener un teléfono de altoparlante o una diadema?

Si por alguna razón siente que no está preparado, posponga la conversación. No se sienta bajo la obligación de negociar simplemente porque alguien lo llamó por teléfono. Utilice alguna técnica para postergar la negociación.

Ejemplo:

"Discúlpame Tiana: ¿puedo ponerte en modo de espera un momento?"

Pulse el botón de modo de espera por algunos segundos y después diga: "¿Te puedo regresar la llamada en unos 15 minutos? ¿Puedes en ese momento?"

En nueve de diez casos, la persona concuerda con hacer esto. Lo que le permitirá a usted tiempo para prepararse.

2. Tome notas

Durante una negociación frente a frente, el mantener contacto visual y la lectura del lenguaje corporal pueden determinar que, al menos en algunas situaciones, usted se abstenga de tomar notas. Sin embargo, cuando se encuentre en el teléfono, tome notas siempre.

Ejemplo:

Cuando una de las partes dice: "Christian, por las notas que tengo aquí de nuestra conversación telefónica del 17 de noviembre, veo que tú dijiste...," eso aporta poder de conocimiento, poder de legitimidad, poder de experiencia (esa parte demuestra experiencia en lo que hace), y poder de compromiso. La parte está lo suficientemente comprometida como para tomar notas. Sea usted la parte que cuenta con todos los hechos y cifras, y utilícelas para su ventaja.

3. Utilice las pausas de forma eficaz

Las pausas son particularmente efectivas en el teléfono. Aunque antes ya he mencionado el silencio como estrategia (vea "Permanezca en silencio," en la página 39), en este caso se utiliza el silencio con un propósito totalmente distinto. Considere los siguientes cuatro casos:

- *Para énfasis*: utilizar una pausa que dure más de lo normal enfatiza el (los) punto (s) clave que se quiere (n) destacar. El receptor de la información podrá tener un momento para reflexionar en lo expresado.
- *Para ayudarle a conseguir más información*: ¿Ha notado lo que ocurre cuando usted pausa en una conversación telefónica? La otra parte empieza a hablar, y con mucha frecuencia divulga información que no hubiera compartido de otra manera.
- *Para ejercer presión en la otra parte*: la contraparte no sabe lo que usted está pensando y no sabe por qué es que usted no está hablando.
- *Para decir: "Me siento cómodo en esta situación."* Demuestra confianza.

El uso correcto de las pausas es un arte que domina el negociador excelente.

4. Utilice lenguaje corporal

Utilice su conocimiento sobre lenguaje corporal (vea el capítulo 8) para proyectar lo que desee proyectar. Por ejemplo, si usted desea proyectar poder, trate de permanecer de pie mientras habla. Haga otros gestos corporales que denoten confianza. Si lo que desea proyectar es una actitud amigable, calidez y confort, utilice una silla reclinable y ponga sus pies hacia arriba en una posición relajada. Tenga en cuenta que puede utilizar diferentes tonos de voz para proyectar poder o calidez.

Ejemplo: En mi empresa tuve a una gerente que tenía una de las voces más cordiales y amigables en el teléfono. Cuando le pregunté al respecto, me dijo que muy temprano en su carrera aprendió a poner una gran sonrisa en su rostro antes de contestar el teléfono o de llamar a alguien. ¡Realmente funciona! El lenguaje corporal puede ayudarle a comunicarse más efectivamente, aún por teléfono.

5. *Ponga los acuerdos por escrito*

Adicionalmente a tomar notas, cuando usted acuerde algo substancial por teléfono confírmelo con un memo, correo electrónico, carta, fax o mensaje de texto. Los negociadores expertos conocen el valor de poner sus acuerdos por escrito. ¿Quién debería escribir? ¡Usted debería hacerlo! Si se presentase un mal entendido, usted de seguro preferiría haberlo escrito de una forma que lo pudiera entender.

LA TINTA MÁS DÉBIL ES MEJOR QUE LA MEMORIA MÁS PRODIGIOSA

Ejemplo: En una ocasión concordé en conducir una serie de seminarios públicos patrocinados por un promotor amigo mío un año después. Durante el receso del primer seminario, él me entregó un cheque con USD $500 menos de lo que yo pensé que habíamos acordado el año anterior y dijo: "No, este fue el arreglo financiero que hicimos, ¡yo lo recuerdo muy bien!". Dado que éramos tan buenos amigos, no habíamos hecho un acuerdo formal por escrito. En ese momento pensé: "¿Habré aplicado el consejo que yo mismo doy de poner los acuerdos por escrito?" Más tarde, ese día, fui a mi oficina a revisar mi archivo. Ahí estaba la copia del memo que le había enviado confirmando el arreglo, y era tal como yo lo recordaba. Cuando él vio el memo enseguida recordó. Confirmar nuestro acuerdo verbal por escrito me ha ahorrado miles de dólares (y quizás, una amistad rota).

6. Utilice una lista de chequeo o de verificación

Aunque no queremos sonar demasiado formales en el teléfono, esto no significa que no podamos utilizar una lista de chequeo o de verificación. Una lista de chequeo puede ser muy útil cuando uno tiene una negociación particularmente importante, o cuando el mismo tipo de negociación ocurre vez tras vez. Esto ayudará a no dejar pasar por alto detalles importantes. Hacer las preguntas correctas y tener los puntos principales bien articulados, puede hacer la diferencia en una negociación. Cuando tenga la necesidad de hacer un guión, practique la conversación. Apunte en el papel las preguntas y los puntos que usted quiere hacer en la llamada, organícelos a la vista en frente suyo, disponga de un espacio para tomar notas. Todo esto le hará más eficaz en su próxima negociación telefónica.

7. Evite las distracciones

Debo confesar que he cometido este error muchas veces:

Ejemplo: Usted está en el aeropuerto cuando están a punto de dar el anuncio de su vuelo y recibe un mensaje que su cliente en perspectiva quiere cerrar ese gran trato, de modo que usted regresa la llamada. En el área de la puerta hay mucho ruido. El lugar está lleno de gente y usted finalmente escucha a la otra parte en el teléfono pero cambia la oferta considerablemente y es difícil ver si aquello es mejor o peor para usted. Esto le hace sentirse desorientado y no está muy seguro de lo que debe hacer. Ese, definitivamente es el momento equivocado para tomar una decisión tan importante.

Usted no se puede concentrar en ese entorno y ciertamente no se debió poner en esa situación. Salga de esta de la mejor manera que pueda ya que es mejor esperar a estar en un sitio donde se pueda concentrar y esté libre de distracciones. Aprenda esto de alguien que lo ha tenido que aprender a través de varias experiencias. Cuando haga negociaciones por teléfono, evite hacer decisiones precipitadas en un entorno donde haya distracciones.

8. Utilice la tecnología telefónica para su ventaja

¿Qué haríamos sin los teléfonos celulares? No solo ahorran tiempo valioso, sino que cuentan con muchas funciones que facilitan las negociaciones. Antes que los teléfonos celulares se popularizaran yo disponía de un teléfono portátil en mi avión el cual utilizaba para hacer contactos con clientes potenciales durante mis viajes. El costo de ese teléfono y de cada llamada (que en ese tiempo era bastante costoso) rápidamente quedaban compensados por los negocios realizados. ¿Por qué? El utilizar tecnología de actualidad incrementaba mi "legitimidad" (vea "El poder de la legitimidad," en la página 50). Invertir tiempo y dinero en mantenerse al día reporta dividendos.

Las llamadas de conferencia, así como los teléfonos de alto parlante pueden ser utilizadas para mejorar la eficacia de los negocios. El teléfono de alto parlante puede ser utilizado aún si no hay otros participantes con usted. Por lo general sugiero preguntar: "¿Habría algún inconveniente si utilizo mi alto parlante?" y enseguida suministro una razón para ello o no. El utilizar el alto parlante permite tener las manos libres, lo cual da libertad de movimiento.

El identificador de llamadas también es una gran herramienta. Resulta conveniente decir: "El número desde el cual me está llamando, ¿es el número donde le puedo ubicar más fácilmente?" En algunas ocasiones cuando se le pregunta el número telefónico a la persona que llama, es posible que no quiera compartirlo. Sin embargo, cuando las personas saben que usted ya tiene su número, es muy probable que estén dispuestas a dar un número alternativo adicional. Recuerde también que puede optar por no contestar si ve que una llamada está entrando desde el número telefónico en el que hay una negociación importante; esto tiene sentido si no está preparado para responder o si en el entorno hay muchas distracciones.

En la oficina, mi diadema inalámbrica es una gran herramienta. Uno puede trabajar en el computador mientras atiende el teléfono, se puede trasladar de oficina en oficina, puede ponerse de pie, hacer ademanes o ubicarse en una silla cómoda.

Como se mencionó antes, cuando las negociaciones telefónicas o las negociaciones cara a cara lo ponen en desventaja, puede utilizar el correo electrónico o los mensajes de texto para equilibrar las cosas. Por lo general, es conveniente utilizar esas formas de comunicación cuando usted:

- Es muy hábil para escribir y/o la otra parte es muy articulada en habilidades comunicativas.
- Es el comprador y quiere ahorrar tiempo.
- Es el vendedor y un comprador de bajo volumen tiende a consumir mucho de su tiempo, cuando se comunican de otra manera.

Combinar estas sugerencias con el resto del contenido de este libro pueden convertirlo en un mejor negociador.

10

LAS NEGOCIACIONES EN EQUIPO

*"Usted nunca hará más dinero
que cuando está negociando."*

— ROGER DAWSON

L a información de todos los capítulos de este libro aplica muy bien a las negociaciones en equipo así como también a las negociaciones que se conducen a nivel individual. Sin importar cómo se conduzcan, las negociaciones en equipo presentan varios desafíos y a la vez, varias oportunidades. Considerar sus ventajas y desventajas le ayudará a decidir si debe realizar la negociación en equipo o de manera individual.

Es posible que usted pregunte: ¿Cómo puede aplicar a la negociación en equipo la información del capítulo anterior? La respuesta es muy sencilla. Es posible realizar negociaciones en equipo a través del uso de teléfonos con alto parlante, sistemas de video conferencia o llamadas de conferencia. Y esto no solo puede ser logrado a través de los medios mencionados, sino que puede haber un método de selección.

Cuando hablamos de negociación en equipo no nos estamos refiriendo únicamente a los grandes contextos corporativos. Por ejemplo, digamos que su hija está amoblando su primer apartamento y quiere comprar un televisor nuevo. Un compromiso adquirido de antemano le impide a usted ir y acompañarla. Usted sugiere que ella le llame a través de su teléfono celular antes de tomar una decisión final. Luego que ella lo pone al corriente de su conversación con el vendedor, usted le pide que active el alto parlante de modo que pueda unirse a la conversación. Ahora usted tiene una negociación en equipo que le permite a ella invitar al "experto." Si resulta conveniente usted puede elegir recomendarle visitar otras tiendas antes de tomar una decisión, a menos que ella reciba otras concesiones.

Si usted decide negociar en equipo, las sugerencias en este capítulo le ayudarán a lograr lo mejor de la negociación.

Ventajas

Demuestra fortaleza: cuando se aumenta el número de negociadores eso en sí mismo puede constituir una ventaja por la fortaleza que se demuestra. Sin embargo, analice cada negociación. En algunos casos pudiera parecer que usted está intentando compensar una posición débil con un mayor número de personas.

Apoyo moral: además de proveer apoyo emocional, los varios miembros en un equipo pueden escuchar y pensar mientras los demás hablan. Esto crea menos presión en cada miembro del equipo.

Mejor planeación: lo que he observado con respecto a los equipos negociadores es que la mayoría de los equipos se preparan más y mejor que cuando un solo individuo está negociando. Sin embargo, asegúrese que ése sea el caso. De seguro, un individuo mejor preparado logrará mejores resultados que un equipo mal preparado.

Mejor coordinación interna: una de las ventajas no tan obvias de las negociaciones en equipo es que una vez las negociaciones se han completado, el equipo entero adquiere propiedad en la decisión, y esto ocurre porque hay una participación conjunta. La coordinación interna o la implementación de los resultados de la negociación puede ser ampliamente aumentada por medio de hacer a más personas responsables de lograr determinados resultados en el proceso de la negociación. Por esta razón, con frecuencia se ve a varios miembros de diferentes áreas de la organización participando en una decisión en particular, dado el papel significativo que el área desempeñará en llevar a cabo o en beneficiarse del resultado de la negociación.

Ejemplo: En una compra de finca raíz donde se hace necesario remodelar, sería apropiado contar con la presencia de la persona responsable de hacer la remodelación, si tal vez no en toda la negociación, al menos en la parte que implica la remodelación.

Mayor experiencia. El agregar a uno o a dos individuos al equipo de negociación aumenta la capacidad intelectual del grupo. El dicho, "dos cabezas piensan mejor que una," resulta totalmente veraz.

Ejemplo: En el caso de las negociaciones de finca raíz el equipo pudiera consistir de un grupo con un número de personas, su cónyuge, un socio, un experto en finanzas, un perito. Su retroalimentación solo puede aumentar la experiencia del grupo.

Los miembros del equipo pueden desempeñar varias funciones:

- El líder.
- El que toma notas – el registrador
- El escéptico o el chico malo.
- El buen chico.
- El relacionista público.
- El lector de lenguaje corporal.
- El experto en control de calidad.

Cada miembro del equipo puede concentrarse específicamente en su tarea asignada, antes, durante y después de la negociación, para asegurarse que el acuerdo es viable y que se puede realizar.

Menor posibilidad de error: cuando hay más personas observando un proceso de negociación, existen menos posibilidades que se cometan errores. Un simple error puede resultar muy significativo y a la vez costoso.

Desventajas

Las ventajas mencionadas arriba suministran amplios argumentos para utilizar un equipo de negociación. Sin embargo, también hay desventajas y usted deberá sopesarlas antes de decidir conformar el equipo. Obviamente, hay ocasiones en las que se necesita de un equipo corporativo o institucional en vista de que muchas personas resultarán involucradas en las consecuencias del resultado. Si ese es el caso, haga todo lo posible por minimizar las desventajas por medio de considerar las que apliquen con su equipo de trabajo.

Costos: por lo general, cuando hay un mayor número de personas involucradas en la negociación se elevan los costos. Evalúe esto cuidadosamente para asegurarse que la magnitud de la negociación es suficiente para justificar el aumento de los costos o la inconveniencia de tener a un mayor grupo de personas involucrado. Por ejemplo, al comprar una casa, el costo adicional no sería un factor si aumentar el equipo significa involucrar a un mayor número de familiares en la decisión. Sin embargo, habría que considerar otros factores (vea los siguientes dos puntos abajo). A mí me molestaría estar en el proceso final de negociación con el agente o el dueño presente y a mis niños insistiendo, "Papi, ¡esta casa es perfecta! ¡Cómprala, papi, cómprala! Recuerda que tenemos que desocupar la otra casa antes de que se termine el mes." ¡Suficiente! Yo amo a mis hijos, pero a veces…

Falta de un criterio unificado por diversidad de opiniones: una de las principales desventajas de las negociaciones en equipo es que cuando se involucra a más de una persona se puede esperar tener más de una opinión. Por supuesto, existe más de una forma de lograr una negociación de manera exitosa, pero una cosa es segura: ningún enfoque funcionará si no hay unidad en el equipo. Esta es la razón por la cual es tan importante la planeación en equipo y todos sus participantes deben conocer el plan y deben concordar con él. Si un solo miembro no está sincronizado con el resto del grupo puede echar a perder la efectividad del grupo entero. Esto también aplica a la negociación en familia. Los adultos a cargo verán mejores resultados si presentan un frente unido en relación con sus hijos.

Fugas de información confidencial: en muchos de mis seminarios, luego de considerar el tema de la negociación en grupo, algunos participantes han contado historias de horror en donde un miembro del equipo reveló inadvertidamente información confidencial, lo que resultó en la pérdida de la posición fuerte del grupo.

Ejemplo: El representante de control de calidad dice, "¡Pero su producto es el único del mercado que satisface nuestras normas de control de calidad!"¡Observe cómo una pequeña fuga puede hacer mucho daño!

El tiempo: la mayoría de las negociaciones en grupo toman mucho más tiempo para organizar porque hay que instruir a cada miembro sobre los detalles de la contraparte, respecto a esta negociación específica. Las negociaciones en grupo tienden a ser más largas porque hay más personas involucradas y cada participante se siente motivado a aportar sus comentarios a la discusión, sin mencionar el tiempo que hay que dedicar a las reuniones de comité.

SUGERENCIAS PARA NEGOCIAR EN EQUIPO

Teniendo en mente las ventajas y las desventajas que hemos mencionado, las siguientes sugerencias pueden ayudarle a su equipo a ser más efectivo:

1. Concuerden en mantener la unidad

Acuerden de antemano que no van a ventilar desacuerdos en la mesa de negociaciones.

2. Hagan reuniones de comité para discutir las diferencias

No vacile en solicitar un receso de modo que su equipo pueda discutir las diferencias que puedan surgir. Cuando se ventilan las diferencias frente a la contraparte lo único que se logra es crear problemas más adelante en la negociación.

3. Lea el lenguaje corporal

Cuando los miembros de su equipo hablen, observe el lenguaje corporal de la contraparte. No hay necesidad en observar esto en los miembros de su equipo mientras ellos hablan. Los negociadores expertos utilizan esta oportunidad para obtener información valiosa derivada del lenguaje corporal de la contraparte.

4. Ubique estratégicamente a su equipo para lograr el máximo impacto

Si usted tiene el equipo con el mayor número de miembros y quiere derivar provecho de ese hecho, haga que su equipo se siente junto. Por otra parte, si usted tiene un equipo negociador más pequeño, es probable que usted quiera dispersarlo entre el otro equipo, si es posible. Esto puede disipar su demostración de poder.

Si usted está negociando solo y la contraparte está compuesta de dos o más miembros, ubíquese de tal forma que pueda ver a todos los miembros del equipo de una sola vez. Esto le permitirá leer su lenguaje corporal de forma simultánea. Esta posición a su vez impide que los miembros del otro grupo se hagan señales sin que usted esté al tanto de ello.

CUARTA PARTE

PERFECCIONE SU JUEGO

· ·

Vaya más allá de lo básico…
Las estrategias hacen que un buen negociador
se convierta en un excelente negociador

11

ESTRATEGIAS Y TÁCTICAS

Seleccionar la estrategia apropiada depende de tres factores:

- El tiempo: la parte que esté menos apremiada por el tiempo es la que gana.
- El riesgo: con frecuencia las estrategias más poderosas son las que conllevan más riesgo.
- Las necesidades: las necesidades de las partes y las necesidades de la negociación desempeñan su papel.

En los capítulos anteriores he suministrado consejo que aporta las habilidades fundamentales necesarias para conducir una negociación exitosa. Ahora que usted ha aprendido lo básico, avancemos hacia el siguiente nivel. Este capítulo le aportará un compendio de estrategias y tácticas que pueden perfeccionar su juego. A medida que comprenda y domine cada una de las estrategias considérelas como si fueran los elementos que hacen parte de su caja de herramientas, las cuales pueden ser utilizadas cuando se necesiten superar las situaciones complejas que la mayoría de las negociaciones presentan.

La gente me pregunta a menudo cuál es la diferencia entre una estrategia y una táctica. La estrategia es un plan a largo plazo. Normalmente se usa durante la mayor parte del tiempo que dura la negociación. La táctica es una técnica que se utiliza a corto plazo, algo que se hace aquí o allá durante el proceso de la negociación. En ocasiones es difícil diferenciar una estrategia de una táctica porque todo depende de cómo se les utilice en una negociación en particular. Es por esa razón que en este libro no hacemos una diferenciación entre las mismas.

Antes que exploremos cada una de las tácticas y estrategias individualmente, consideremos cuatro directrices generales que aplican a todas ellas, las cuales le ayudarán a decidir cuándo utilizarlas o no utilizarlas:

Reconozca que el tiempo es extremadamente importante en el uso de cada estrategia y táctica.

Ejemplo: Deseo compartir con ustedes la experiencia que relató una mujer joven que pertenecía a una de las 500 compañías de la revista Fortune, quien se acercó a hablarme durante el receso de uno de mis seminarios. Fue algo que ocurrió cuando ella estaba recién entrada al área de compras de su compañía, viajaba junto con un comprador experimentado y se dirigían a negociar un nuevo contrato con un proveedor muy importante. La reunión duró menos de dos minutos y terminó justo después que su compañero presentó la oferta inicial. Él cerró su computador portátil, lo guardó en su maletín y se dispuso a salir.

¡Ella no podía creer lo que había visto! No podía concebir cómo este comprador experimentado había utilizado la táctica de retirarse con este proveedor tan importante. "En ese momento," dijo ella: "el proveedor modificó rápidamente su oferta inicial, y en muy poco tiempo se logró realizar un excelente contrato que se extendió por bastante tiempo."

Cuando de nuevo se encontraron a solas, la mujer le preguntó al comprador experimentado con cuanta frecuencia utilizaba la táctica de retirarse. Después de pensar por un momento, el hombre dijo: "Nunca la había utilizado antes, pero el tiempo y las circunstancias eran las correctas." Ella concluyó: "Nunca olvidaré la importancia del tiempo en el uso de las estrategias."

Algunas estrategias se utilizan muy poco. No obstante, en el momento justo, en la situación apropiada, el uso de la estrategia correcta obra maravillas.

Aprenda a utilizar varias estrategias y tácticas diferentes. Cuando yo estudio negociaciones reales y simuladas, me sorprende ver la cantidad de estrategias y tácticas tan limitadas que utilizan algunos negociadores. Parece que muchos suelen utilizar las mismas una y otra vez. Es como si desarrollaran un hábito y luego continuaran repitiendo el patrón.

Por otra parte, los mejores negociadores utilizan una gran variedad de estrategias y tácticas. Apréndalas todas. Siéntase cómodo con su uso. Practíquelas, experimente con ellas hasta que se conviertan en un hábito y usted las use tan naturalmente como lo hace al utilizar su automóvil. Busque maneras de utilizar diferentes estrategias para hacerse más eficaz (como por ejemplo combinando la estrategia del agente de autoridad limitada [página 152] con la del chico bueno o el chico malo (página 167),

Sepa cómo contrarrestar cada estrategia y cada táctica: para que usted pueda contrarrestar una estrategia o una táctica eficazmente, primero deberá estar en capacidad de reconocerla. Preste particular atención a la lista de contras que se mencionan para cada estrategia y táctica que se aparecen en este capítulo.

Nunca utilice una estrategia o táctica que destruya la importante relación con la otra parte: así es, al menos hasta que no haya determinado que el riesgo vale la pena. Cuando seleccione las estrategias Recuerde y aplique los principios de asociación que se explican en la introducción de este libro. Entre las estrategias y tácticas que llevan un alto riesgo de destruir las relaciones se incluyen:

• El retirarse.

• Tómalo o déjalo.

- Actúe y espere los resultados.
- Irse a los extremos.
- Instar a la competencia.
- Cambiar los niveles.

Ahora, examinemos más detenidamente las treinta y cinco estrategias y tácticas y la forma de contrarrestarlas.

1. El elemento sorpresa

La táctica del elemento sorpresa puede adoptar muchas facetas. Se puede suministrar nueva información, como por ejemplo llamar a un nuevo testigo para testificar en un procedimiento ante la corte. Durante una negociación en equipo, se puede introducir a un nuevo miembro, o la personalidad de uno de los negociadores puede cambiar considerablemente. Por ejemplo, él o ella se pueden tornar más exigentes o más dispuestos. El propósito de esta táctica es desestabilizar la situación, ejerciendo de alguna forma algún tipo de presión sobre la contraparte.

Forma de contrarrestar esta estrategia: Resuélvase a no perturbarse o sorprenderse, cuando surjan nuevos elementos durante una negociación. Jack Pachuta, un excelente entrenador de negociadores y uno de mis licenciados certificados dice: "Siempre anticipe lo que la otra parte utilizará como táctica de sorpresa. Usted permanecerá tranquilo y no se perturbará sin importar lo que suceda."

2. El agente de autoridad limitada

En esta estrategia el negociador se presenta como uno que no tiene la última palabra. Aún cuando la tenga puede resultar ventajoso, por lo menos en algunos casos, tener una "autoridad" limitada.

Ejemplo: Como presidente de mi organización, yo parezco ser (y en algunas instancias lo soy) la autoridad final. Sin embargo, en muchas negociaciones, puede resultar ventajoso ser el agente de autoridad limitada. Estas son las ventajas:

Usted no tiene que tomar las decisiones inmediatamente. En realidad, usted no puede hacer las decisiones inmediatamente. El agente de autoridad limitada siempre tienen que recibir aprobación de alguien más. Cuando usted es el agente de autoridad limitada cuanta con más tiempo a su favor.

El "difícil" no es el agente de autoridad limitada, es quien toma la decisión final. Por lo tanto, el agente de autoridad limitada puede mantener una relación de cordialidad y amistad con la otra parte.

El agente de autoridad limitada está siempre en capacidad de "salvar las apariencias" cuando recurre a la necesidad de hacer concesiones, puede decir: "Finalmente aprobaron lo que los dos queríamos."

El agente da autoridad limitada siempre puede traer al experto o a la autoridad final. De modo que en esencia, puede incluir a más miembros en el equipo negociador.

Si yo deseo limitar mi autoridad, ¿qué puedo hacer? Bien, tengo a la junta directiva, y puedo pedirles a ellos que limiten mi autoridad en este aspecto. Por lo tanto, puedo decir sin faltar a la verdad: "No puedo continuar hasta no conseguir la aprobación de mi junta directiva y francamente no creo que pueda lograr que se me aprueben cosas adicionales." Algunas personas solicitan a sus socios, superiores y aún a cónyuges que limiten su autoridad de modo que puedan disfrutar del poder que ofrece la autoridad limitada.

Otro ejemplo: Hace poco estuve considerando la posibilidad de entrar en una asociación que implicaba una inversión de dinero considerable de mi parte. Mi esposa no se sentía muy tranquila con la cantidad que se debía invertir. Yo acordé con ella que no invertiría una cantidad mayor a la que ella estuviera dispuesta a destinar. Honestamente, mi juicio me indicaba que debía invertir más. Pero cuidado, yo amo a mi esposa y no deseo perderla. Ello me convirtió en un auténtico agente de autoridad limitada. Le puedo asegurar que eso me ayudó enormemente en esa negociación.

Formas de contrarrestar esta estrategia:

Determine el nivel de autoridad de la otra parte al principio de la discusión. Usted pudiera decir: "En transacciones como esa, ¿es usted quien toma la decisión o están implicadas otras personas?" La mayoría de veces el ego sale a relucir y la persona dice: "Aquí, yo tomo las decisiones finales." En este caso, usted habrá eliminado la posibilidad que la persona utilice posteriormente la figura del agente de autoridad limitada.

Cuando esté negociando, haga arreglos para acceder a la tercera parte, es decir a la autoridad final. Así usted podrá finalizar las decisiones al instante. Esta situación puede utilizarse especialmente para negociar en el ámbito de acción de la contraparte y no en el suyo. Ejerza especial cuidado de no ofender al "agente." Con frecuencia esta estrategia no debe ser utilizada por esa razón.

Conviértase usted mismo en un agente de autoridad limitada. Si la contraparte solo hace acuerdos de contingencia que deben ser aprobados por una autoridad final, usted puede adoptar la misma táctica. Lo que usted no quiere que ocurra es que se llegue al final de la negociación, habiendo acordado en todos los elementos, y que la otra parte diga: "Déjame ir y ver si puedo hacer que mi jefe apruebe esos dos últimos."

3. El pedazo de pastel (también llamada salami)

La parte A se concentra en un pequeño elemento de la negociación hasta que logran acuerdos sobre ese elemento. A los ojos de la parte B ese elemento es tan pequeño que no haría perder la negociación. Sin embargo, una vez que la parte B hace esa pequeña concesión, la parte A traslada la discusión sobre a elemento pequeño. En cada ocasión la parte B, piensa para sí misma: "Este asunto es demasiado pequeño para detener la negociación." Por supuesto, la intensión de A es utilizar la estrategia para conseguir la mayor porción del "pastel," lo cual no sería posible si se pidiera todo de una vez.

Forma de contrarrestar esta estrategia: procure establecer los planes de la contraparte. Puede hacer esto preguntando algo así como: "Además de esto, ¿hay alguna otra cosa que le gustaría considerar antes de... [Cerrar el trato... de completar la transacción]?" Otra alternativa pudiera ser: "Aparte de esta solicitud, ¿habría algo más que le gustaría considerar antes de finalizar el acuerdo?" Si la otra parte dice que no, entonces proceda a concretar el acuerdo. Si dice: "Sí, todavía hay algunos otros elementos," entonces diga,:"Hagamos una lista de estos de modo que podamos ver el cuadro completo." Con cualquiera de estas preguntas y respuestas usted puede contrarrestar el efecto normal de esta táctica.

4. Tómalo o déjalo

Esta es una táctica que implica una considerable medida de riesgo, pero puede ser muy poderosa. La intención es forzar una decisión rápida dada la posibilidad de terminar la negociación por un determinado asunto. Aunque a veces se requiere un enfoque bastante firme, esta técnica suele ser mucho más efectiva si se presenta de la siguiente manera: "Quiero que entienda mi posición. En vista de mis limitaciones financieras y en vista de las directrices dadas por mis socios no tengo otra alternativa en este asunto. Tengo las manos atadas. Desafortunadamente, esto es lo mejor que le puedo ofrecer." Lo anterior constituye la aplicación de la táctica "tómalo o déjalo" sin sonar como el chico malo y permite conservar las relaciones en buen estado.

Forma de contrarrestar esta estrategia: en estos casos resulta esencial conocer las alternativas de la contraparte. Puede ser que la información dada sea cierta o simplemente sea una táctica para negociar. Cuando se consideran con detenimiento las alternativas también se pueden planear cuidadosamente las contra estrategias.

5. *La paciencia*

La paciencia es una estrategia de dilación o de no acción que implica un enfoque de espera y lento al proceso de negociación. Funciona muy bien cuando el factor del tiempo es indiferente para usted o cuando su necesidad de lograr el acuerdo es menor a la necesidad de lograr el acuerdo por parte de la contraparte. Después que se presente la oferta o posición inicial (de cualquiera de las partes) usted sencillamente no hace nada y se aferra a los términos o condiciones que ha presentado sin hacer ninguna oferta adicional ni concesión. El propósito de esta estrategia es cansar a la contraparte mediante no realizar ninguna acción de parte suya. En la mayoría de los casos, la otra parte empezará a hacer concesiones. Entre más tiempo tome usted, más dispuesta va a estar la contraparte a hacerlo. Esta estrategia debe aplicarse de tal manera que la otra parte no se sienta ofendida. Usted puede hacer un comentario que demuestre sensibilidad tal como:

"Carrie, espero que puedas entender nuestra posición. La propuesta de ustedes simplemente no se ajusta al plan maestro de nuestra organización." Usted puede optar por explicar por qué no se ajusta o no:

"Veo que su plan se ajusta en el caso de la mayoría de las familias, pero en el caso de mi familia ciertamente eso no sucede."

En cualquiera de los ejemplos anteriores, su habilidad para permanecer en *silencio* una vez pronunciadas las declaraciones, hace de esta estrategia altamente efectiva.

Formas de contrarrestar esta estrategia:

Haga que la dilación del tiempo le resulte costosa a la contraparte. Haga una reducción progresiva de la oferta, especialmente si hay una razón particular para ello.

Ejemplo: "John, quiero hacerte consciente que nuestro proveedor del componente principal del producto X [el elemento que John está intentando comprar] va a incrementar el precio del producto en un 13% en menos de dos meses y por supuesto tendremos que hacer ese incremento a ustedes y a nuestros otros clientes. Sin embargo, si podemos cerrar nuestro acuerdo antes del viernes, estaré en condiciones de hacer que la gerencia autorice un congelamiento de precios de un año para ustedes. Nosotros simplemente guardamos el inventario de un año del producto, antes que el precio aumente. ¿Te gustaría que intente ver si eso es posible?" Las posibilidades de incrementar las ganancias en este negocio se aumentan e imprimen un sentido de urgencia en la parte que se estaba dilatando.

Retírese de la oferta o amenace con hacerlo y hágalo de una forma lógica y prudente

Ejemplo: "Tiana, he sido informado por parte de la gerencia que ésta línea de productos va a ser descontinuada si no logramos conseguir la cantidad que necesitamos de parte de ustedes al mismo precio que teníamos el año pasado. La nueva línea de productos que estaba proyectada para salir en dos años; sin embargo, si usted no nos puede sostener el precio la gerencia tiene proyectado anticipar la nueva línea y lanzarla al mercado en tres meses. En ese caso habrá sido para nosotros un gusto haber comercializado esta línea de productos y esperaremos continuar nuestras relaciones comerciales más adelante. ¿Qué opinas?" Cuando la contraparte enfrenta esta potencial pérdida del negocio, esto se convierte en una prioridad y en ese momento se habrá disipado la demora.

Otras formas de contrarrestar esta táctica consisten en aplicar tácticas orientadas hacia la acción, tales como la de agregar (página 174, actúe y espere los resultados (página 163), como también la táctica de retirarse (página 165)

Siempre tenga en cuenta las implicaciones culturales que pueden generar el uso del método de la dilación. Por ejemplo, esta táctica es mucho más aceptada culturalmente por parte de los negociadores en Japón. Ellos tienden a ser menos propensos a tomar decisiones rápidas.

6. La catástrofe final

Cuando se usa la táctica de la catástrofe final, el negociador explica las consecuencias directas que pueden ocurrirle a la contraparte (o a ambas partes) si no se llega a un acuerdo. La intención es ayudarle a la contraparte a evitar esas posibles consecuencias. Con esta táctica es supremamente importante evitar que la contraparte se sienta amenazada. Por ejemplo, usted pudiera preguntar: "¿Qué sucedería si no llegamos a un acuerdo?" y a continuación permitir que la persona llegue a sus propias conclusiones.

Ejemplo: El comprador de un terreno se da cuenta que el dueño está enfrentando una liquidación con el banco y pregunta a la dueña: "Myriam, ¿alguna vez has enfrentado una liquidación? ¿Sabes lo que le sucede al dueño y a la propiedad?"

Otro ejemplo: cualquier huelga contra la empresa constituye un ejemplo perfecto de la táctica de la catástrofe final para ambas partes. Cada parte experimentará terribles pérdidas si la huelga continúa. ¿La solución? Un árbitro (o un comité arbitral), avalado por ambas partes, que escoja una solución "justa y objetiva" que satisfaga a ambas partes.

Formas de contrarrestar esta estrategia:

- Tómese el tiempo que sea necesario para considerar cuidadosamente cada opción posible.
- Cree una alternativa para eliminar las posibles consecuencias negativas.
- Ignore las posibles consecuencias y asuma el riesgo.

7. Dinero extra

¿Cuándo fue la última vez que usted visitó una tienda de minorista y compró algo por $30,00 dólares? ¡En realidad no lo hizo! ¿Cuánto pagó por el artículo? ¡$29,95! ¿Por qué? Porque los minoristas conocen bien el poder del dinero extra. La cifra $29,95 suena mucho menor a $30,00. Así, ellos venden más porque comprenden la utilidad del dinero extra, lo cual no es otra cosa sino *presentar las cosas de la manera más favorable hacia el lado suyo.*

Otra forma como la gente suele presentar la idea de dinero extra es a través del uso de porcentajes. Lo que con frecuencia, disfraza las diferencias en los precios. Por ejemplo, la diferencia de la mitad de un uno por ciento puede parecer insignificante. Sin embargo, el hecho es que en una tasa de interés de esa cifra para un crédito de $100,000 dólares, de treinta o más años representan $12,000 dólares.

Ejemplo: Hace años, yo intenté que mis tres hijos mayores mejoraran su velocidad de lectura. Puesto que yo había sido un lector despacioso cuando era niño, quería ayudarles a que pudieran desarrollar la habilidad de leer rápido. Yo les dije que iba a depositar cien dólares en cada una de sus cuentas de ahorros cuando estuvieran demostrando la capacidad de leer mil palabras por minuto. Les garanticé que podrían alcanzar esa meta en 30 días, si tan solo seguían el programa dedicando solo 30 minutos diarios. Pensé que ellos iban a responder entusiasmados ante la posibilidad de ganarse tres dólares por el trabajo de cada treinta minutos (recuerde, eso sucedió hace mucho tiempo y ellos eran unos jovencitos, cuando el dólar tenía un mejor valor). ¿Aceptaron la oferta? ¡No! ¿Por qué? Era dinero extra.

Ahorrar dinero para una fecha futura no tiene mucho significado para un jovencito. De modo que cambié mi enfoque y al día siguiente, puse veintiún billetes de un dólar cerca de sus platos en la mesa del desayuno, les dije que iban a recibir su dinero por adelantado y pasé a explicarles, sin embargo, que cada mañana les iba a preguntar si habían trabajado los treinta minutos del día anterior. Si lo habían hecho, podrían conservar el dinero, si no lo habían hecho, deberían devolverme tres dólares por el día perdido. Ninguno de los niños tuvo que devolver el dinero y mejoraron su velocidad de lectura dramáticamente. No hubo diferencia en los tres dólares, más bien, lo diferente fue la forma en que los recibieron. No olvide el dinero extra en sus negociaciones.

Forma de contrarrestar esta estrategia: reduzca todos los términos a los valores reales, a los dólares reales, al valor real para usted. En otras palabras, utilice la estrategia a la inversa. Vea los términos del acuerdo de la forma más favorable para usted.

8. La norma estándar

A esta táctica a veces se le conoce como el contrato estándar, la política de la compañía o la práctica industrial. Está diseñada para hacer creer a la otra parte que solo hay una norma, procedimiento o política estándar aceptable para realizar algo. En otras palabras, eso no es negociable. Cuando se utiliza apropiadamente esa puede ser una herramienta muy eficaz.

Ejemplo: temprano en mi carrera, un director de entrenamiento me contrató para presentar un programa en su compañía. Cuando le expliqué exactamente lo que me proponía hacer me dijo que no lo podía hacer de esa manera. Cuando le pregunté por qué, dijo que esa era la "política de la compañía." De modo que inmediatamente pensé: "¿Quién soy yo, un entrenador joven y nuevo para ir en contra de las políticas de esta corporación tan gigante?" La táctica funcionó muy bien conmigo.

Formas de contrarrestar esta estrategia: desafíe la norma en aquello que resulte apropiado. Le sorprenderá ver lo que sucede cuando asume la actitud de que la norma de la compañía (o el procedimiento corporativo) puede ser cambiada asumiendo por supuesto, que aquello resulta en el mejor interés de la contraparte que en el suyo. Entonces su labor consistirá en demostrarles exactamente cómo se hace eso. Preséntelo de una manera lógica haciendo que tenga sentido. Por ejemplo, usted está negociando su salario y otros beneficios en su nuevo trabajo. Quienes están contratando le informan que tanto el salario como el paquete de beneficios son fijados bajo las "políticas de la compañía." Aquí es donde entran en juego tres de los diez factores de poder que aprendimos en el capítulo tres:

- El poder de la legitimidad (página 50): ¿Ha hecho todo lo necesario para demostrarles que usted es la persona perfecta para el trabajo y que los dólares adicionales que le van a pagar les serán recompensados con creces a la compañía gracias a la efectividad de su trabajo? Si usted ya ha hecho todo en este campo, utilice el poder de la alternativa.

- El poder de la alternativa (página 49): ¿Qué alternativas tiene usted? ¿Tiene ofertas de otras compañías que superen esta oferta? ¿Puede considerar la opción de comenzar su propio negocio? ¿Puede orientar su carrera en otra dirección? ¿Puede unirse a su cónyuge en el trabajo que éste realiza? ¿Puede adquirir educación suplementaria? En otras palabras: ¿sabe el empleador en perspectiva las alternativas que usted tiene y qué tanto le atraen esas alternativas? Si usted no tiene alternativas, pierde mucho de su poder.

- El poder del riesgo (página 53): ¿Cuánto riesgo puede usted permitirse o está dispuesto a asumir? ¿Está listo a utilizar su mejor alternativa como la razón por la cual no puede aceptar la oferta de ellos?

Estas son decisiones difíciles, pero si usted ha explorado sus opciones, puede aplicar estos tres conceptos de negociación para ayudar a contrarrestar esta estrategia con eficacia.

9. El encime

Los grandes negociadores saben que prácticamente casi siempre pueden pedir un pequeño elemento (encime) *para el momento en que ofrecen cerrar el trato*. Tanto el tiempo como el tamaño de la concesión son cruciales aquí

Ejemplo: Hace algunos años yo estaba comprando una nueva avioneta y casi habíamos cerrado el trato. El dueño por supuesto quería vender pero su precio era un poco alto. Él había ofrecido reparar dos pequeños problemas antes de la venta. Luego de negociar el precio yo decidí utilizar la técnica del encime. Yo mencioné los dos elementos e indiqué que yo pagaría el precio acordado menos $500 dólares y me llevaba los dos problemas conmigo. (En realidad era un gran encime. La reparación costaba entre $100 y $200 dólares.) ¿Qué dijo el hombre? "¡Trato hecho!" Comparando $500 dólares con el precio total de la avioneta, no representaba mucho, ¡pero para mí eran $500 más en mi bolsillo solo por preguntar!

Como contrarrestar esta estrategia: ahora bien: ¿qué hay si el hombre hubiese rechazado la oferta? ¡Imagínelo! De todos modos yo hubiera comprado la avioneta y el hombre tendría los $500 adicionales en *su* bolsillo. Cuando usted se dé cuenta que alguien está utilizando la táctica del encime, recuerde que el trato no depende de lo que la persona reciba de encime. Dé el encime solo cuando usted se sienta cómodo de hacerlo. Mejor aún, *reduzca* el encime. Si el hombre hubiera dicho: "Esa es una buena idea pero solo me costaría $100 arreglar ambos problemas, me hubiera ahorrado solo $100, ¿no es verdad?" Y lo más probable es que yo hubiese estado de acuerdo.

10. Actúe y espere los resultados

Esta táctica implica una acción que fortalece su posición y conduce a la otra parte a reaccionar (o mediante omisión le permite a usted lograr su objetivo). Es una buena táctica para utilizar cuando se está negociando un elemento relativamente pequeño dentro de un gran paquete de artículos. Supongamos que Heather y yo hemos estado concretando una transacción comercial durante algún tiempo. Cuando finalmente yo recibo una copia del convenio a través del correo electrónico, encuentro que nueve de los diez elementos del acuerdo son aceptables para mí. Con todo, yo no estoy satisfecho con uno de ellos. Mi reacción inicial sería llamar a Heather y discutir el asunto, pero yo elijo la opción "actué y espere los resultados." Sencillamente, tacho el asunto, pongo mis iniciales, firmo el contrato y lo devuelvo a Heather.

Ahora imagine la posición de Heather. ¿Qué puede hacer ella? Tiene dos opciones:

- Puede llamarme y negociar el asunto.
- Puede decidir que no es bueno arriesgar el contrato por un solo artículo. De modo que ella, aprueba el cambio, firma el contrato y tenemos el trato.

Lo peor que puede pasar es que Heather decida que no puede aceptar el asunto y que necesitemos reanudar las negociaciones. A veces eso es justamente lo que ocurrirá, pero le sorprenderá ver lo mucho que funciona la estrategia "actúe y espere los resultados."

Un hombre joven que asistió a uno de mis seminarios contó una excelente experiencia respecto al uso de esta práctica. Él estaba comprando un automóvil usado, su primer auto cuando salió de la secundaria. El había programado un valor máximo de $2,250. El vendedor no quería aceptar ese valor y en vez de continuar molestando al vendedor, sencillamente escribió un cheque por $2,250 dólares y se lo dio a él *sin firmar*. El vendedor dijo que no lo podía aceptar pero el joven insistió que lo conservara por unos días; su nombre y dirección estaban escritos en el cheque de modo que el vendedor podía contactarlo si cambiaba de parecer. Dos días después, el vendedor lo visitó en su puerta y le preguntó si quería firmar el cheque para comprar el automóvil. Obviamente valió la pena que el hombre asumiera el riesgo. Resultó mejor que simplemente haberse retirado. Al vendedor le quedó algo en lo cual pensar y aparentemente después el trato le pareció bien. De modo que hay poco riesgo implicado en la opción, actúe y espere los resultados.

Formas de contrarrestar esta estrategia:

- Rehúse aceptar el cambio en el acuerdo y continúe las negociaciones.
- Rehúse aceptar el cambio en el acuerdo y despliegue la paciencia (vea la página 156), por lo pronto no haga nada al respecto. La contraparte se preguntará: ¿Qué está pasando? Y probablemente lo contactará. Si la contraparte dice: "Lo siento, simplemente no podemos aceptar el arreglo." Permanezca en silencio y no hable. Ahora usted tiene la ventaja.

- Si se utiliza la táctica con usted, rehúse continuar la negociación. En otras palabras, usted ya no está negociando más (vea Retirarse a continuación), a menos que ellos no utilicen la táctica y continúen en la posición inicial.
- Utilice rápidamente su MAAN (vea la página 83). Al principio deje saber a la contraparte que usted va a considerar sus otras opciones y que solo estará dispuesto a continuar la negociación si ellos están dispuestos a realizar una concesión adicional.

11. Retirarse

Como la palabra lo indica, una de las partes se retira de la negociación (con o sin explicaciones). No hay ninguna duda, retirarse implica riesgos, pero también es muy poderoso. Usted dice que si la otra parte no cambia algo en su posición, la negociación se da por terminada. Para lograr eficacia el tiempo debe ser manejado correctamente. Yo recomiendo utilizar esta táctica únicamente en situaciones donde todo lo demás ha fallado.

Formas de contrarrestar esta estrategia:

- Haga una concesión o concesiones condicionales para impedir el retiro.
- Intente reacomodar algunos términos del acuerdo donde se beneficien las dos partes.
- No haga nada. Pruebe la táctica del retiro para ver si son solo palabras. Si usted opta por esta opción, deberá estar preparado a aceptar el hecho que la negociación podrá haber terminado.
- No haga nada. Pero planee reiniciar la negociación aplicando las técnicas de aparente retiro como se explica a continuación.

- Asuma que la negociación se ha terminado y proceda a considerar su MAAN (mejor alternativa al acuerdo de negociación).

12. La retirada aparente

Esta retirada difiere de la anterior en una sola cosa: la parte que se retira encuentra una nueva razón para reanudar la negociación. Esta táctica se utiliza cuando poner en juego el poder de la retirada y a la vez eliminar una parte del riesgo.

Ejemplos de razones para reanudar una negociación de la cual uno se ha retirado:

- Su cliente no está dispuesto a pagar el precio de su producto. Usted acaba de enterarse que el costo de la materia prima (si la compra en grandes cantidades) se ha reducido, lo que le permite hacer una reducción en el precio de su producto (si su cliente compra en grandes cantidades).
- La oferta final de la casa que usted quería comprar fue rechazada. El vendedor sabía que aparte del precio su otra preocupación era que los niños tendrían que cambiar de colegio cuando todavía faltaban tres meses para finalizar el año escolar. Ahora usted está reanudando la negociación porque se ha enterado que el colegio de la zona le permitirá a sus niños finalizar el año escolar, si los padres suministran el transporte.
- Usted rechazó la última oferta por su vehículo. Ha pasado una semana y no ha recibido otra oferta. Usted llama al cliente que hizo la última oferta y le dice que está considerando la posibilidad de dividir la diferencia. En realidad usted está dispuesto a aceptar la oferta anterior, pero es

bueno darse la posibilidad de hacer otra concesión y no tiene nada que perder con esa opción.

Formas de contrarrestar esta táctica: las mismas de la sección anterior.

13. El chico bueno y el chico malo

Todos hemos visto en la televisión al chico bueno y al chico malo. Un policía tosco interroga al sospechoso sin conseguir ningún resultado. Éste sale de lugar y a continuación entra un oficial que es muy amigable y razonable. El sospechoso quiere ganarse su favor de modo que revela la información que el policía bueno necesita. La gente a veces me pregunta: "¿Cómo es posible utilizar esta táctica sin que parezca fingida?" En verdad, eso es posible. En muchas ocasiones la utilizamos con mi esposa cuando vamos de compras. Uno de nosotros quiere comprar el artículo, el otro no, y ambos estamos siendo completamente honestos; estamos expresando nuestros sentimientos.

Por ejemplo: Mi ex esposa amaba a los animales y siempre quiso tener un mono. La tienda de mascotas local estaba a punto de liquidar inventarios y el dueño estaba ansioso por vender su último animal: un mono. No había dudas al respecto: ¡ella quería a ese animal! Faltaban dos días para navidad y yo no le había comprado su regalo aún. El precio estaba bien, pero yo todavía no estaba muy convencido de que queríamos un mono. Ya teníamos tres pájaros y tres perros. Obviamente yo era el chico malo... pero eso no requirió ninguna actuación de mi parte. El vendedor sabía que tenía que concentrar su atención en mi esposa. ¿El resultado? Salimos de la tienda con el mono, ¡a la mitad del precio muy, muy especial! ¡Y eso se debió en parte porque nadie, en sus cabales, quiere tener a un mono de mascota!

Ejemplo: durante una negociación, existen muchas oportunidades de usar las figuras del chico bueno y el chico malo, especialmente cuando la negociación es en grupo. Digamos que su compañía está considerando la posibilidad de adicionar un nuevo producto, con tal que el precio y los términos del proveedor sean los correctos. En ese contexto sería muy fácil que las personas mencionadas a continuación desempeñaran varios de los papeles indicados:

- El vicepresidente de ventas: quiere el producto nuevo porque eso haría que las ventas se aumenten (el chico bueno).
- El vicepresidente de control de calidad: duda de la calidad del producto (el chico malo).
- El presidente.: considera que el nuevo producto animará a los accionistas en la reunión de la próxima semana.
- El director financiero: le preocupa que el nuevo producto no sea rentable. Es posible que el producto deje muy poca utilidad (el chico malo).

Esta estrategia, bien trabajada, puede resultar muy efectiva.

Formas de contrarrestar esta estrategia: Divida el grupo y discuta la estrategia. Considérela abiertamente o de forma casual con el grupo: "Vaya, parece que aquí tenemos un caso del chico bueno y un chico malo." ¡Eso sí que es enfrentar el asunto!

14. Irse a los extremos

La meta de esta táctica es reducir las expectativas de la otra parte haciendo una oferta considerablemente más alta (o más baja) de lo que la otra parte espera. Esta es una de las tácticas más efectivas y a la vez menos efectivas: muy efectiva cuando la otra parte no lo percibe como una táctica; muy poco efectiva cuando la otra parte descubre la estrategia.

Ejemplo: Como en el ejemplo al inicio del capítulo cuatro, digamos que usted pone su casa en venta por $450,000 dólares. La casa ha estado en venta durante tres meses y no se han presentado ofertas. Ahora yo me presento y ofrezco $350,000. Eso puede sonar ridículo. Sin embargo, espere un momento. Suponga que yo he hecho una investigación en el mercado y el resultado ha sido que se han vendido propiedades similares por $340,000 y $360,000. Todo se esclarece así: ¿Cómo se empieza a sentir usted? ¿No es verdad que empieza a pensar dentro de sí: "Vaya, parece que no voy a conseguir nada cercano a los $450,000"? Continuamos negociando y finalmente usted concuerda dejar el precio en $390,000. Lo más probable es que usted nunca hubiera concordado esa cifra si yo inicialmente hubiera ofrecido $390,000. Así, en pocas palabras, irse a los extremos es muy útil cuando usted puede documentarse con "hechos" de forma realista.

Las proporciones se mantienen. Entre más alta sea la oferta inicial, más alto es el arreglo final. Lo contario también resulta cierto; entre más baja la oferta inicial, más bajo el arreglo final. Por lo tanto, haga la oferta más alta (o más baja) que pueda justificar de forma razonable.

Antes de utilizar esta táctica considere el estilo de negociación de la otra parte. ¿Le gusta a la contraparte regatear? ¿Es la contraparte del tipo de personas que le gusta recibir un número de concesiones para sentirse a gusto con la negociación? Si así es, esta táctica resultara particularmente efectiva. Por otra parte, no le recomendaría hacer uso de esta táctica si usted está negociando con una persona a quien le guste hacer la mejor oferta posible sin muchos rodeos y quien espera que usted haga lo mismo. Las personas son diferentes, pero en la mayoría de los casos son diferentemente predecibles. Determine con qué clase de persona está negociando y hágala sentir cómoda con respecto al proceso de negociación.

Formas de contrarrestar esta estrategia:

- Pregunte por la razón detrás de la oferta: "Esa es una oferta interesante... ¿cómo llegó a esa conclusión?" Observe que esta técnica no es controversial. Más bien, es calmada y muestra deseos de saber. A continuación escuche atentamente la respuesta. Usted probablemente escuchará información que le ayudará a entender la posición de la contraparte.
- Haga saber a su contraparte que usted está al tanto del uso de la estrategia: "Veo que está utilizando la estrategia de irse a los extremos."
- Esté preparado para utilizar su MAAN (vea la página 83. De acuerdo a lo que se considera en el capítulo 3, las buenas alternativas, le dan poder en la negociación.

15. *La maniobra de distracción (también llamado ir en contravía)*

Con esta táctica usted parece ir en una dirección cuando en realidad intenta ir en otra. Es similar a las maniobras del fútbol en las que se distrae al oponente de las consideraciones más importantes. Muchos han preguntado: "¿Cómo se puede utilizar esta estrategia de una manera ética? ¿No estás engañando a las personas de forma deliberada?" A continuación doy dos ejemplos de utilizar la técnica de forma legítima y ética:

Ejemplo: Si se fugara la información que una gran corporación está interesada en comprar un lote de terreno en determinada zona, los valores de los terrenos en esa área ciertamente se dispararían. La corporación entonces puede utilizar esta táctica: Ellos ocultan su verdadera intención y en vez de decir: "Vamos a construir en esta zona," se puede decir: "Pensamos construir en algún sitio." De esa forma se mantienen las opciones abiertas, a medida que ellos también cotizan terrenos en diferentes ubicaciones. Eventualmente, por supuesto, pueden comprar el terreno que desean conseguir, pero a un precio razonable.

Ejemplo: Su esposa e hijos se han enamorado de un modelo nuevo de vehículo utilitario. Todos concuerdan en que este es el vehículo que quieren. Al visitar al distribuidor, ustedes ciertamente no quisieran que él se entere de la situación real. Por lo tanto, ustedes pueden reunir información de los demás distribuidores y de otras opciones (comprar en línea, comprar un vehículo usado, etc.), antes de visitar al distribuidor y empezar la negociación.

El parecer ir en otra dirección es apropiado en esta situación. Lo más aconsejable es que *no* llevara a sus hijos y esposa donde el distribuidor.

Formas de contrarrestar esta estrategia:

- Aprenda tanto como pueda de las necesidades e intereses de la otra parte. Haga su tarea antes de la negociación.
- Haga preguntas pensadas de antemano de modo que salga a la luz la verdadera intención de la contraparte (vea el capítulo 1).

16. Discriminación de costos

La discriminación de costos es una excelente táctica comercial. Permite al comprador examinar y comparar el costo de cada elemento individual que se desea negociar. Si la propuesta se compone de tres partes, el comprador puede buscar fuentes donde pueda conseguir cada una de esas partes a un precio menor. Esta comparación fortalece la posición del comprador. La petición de discriminación de costos puede representar un problema potencial para los vendedores. Puede resultar en desventaja para ellos el suministrar la información de los costos al detalle.

Las empresas con frecuencia me piden que les presente una propuesta donde se suministre información sobre los múltiples programas de entrenamiento disponibles; un discurso principal, un seminario, un programa de entrenamiento a domicilio y piden que les dé el precio total por todos. Cuando ven mi propuesta, dicen: "¿En qué consisten los costos Jim?" Ahora, póngase en mis zapatos. Hay una razón por la que no puedo suministrar una discriminación de los costos en simplemente tres categorías (discurso principal, taller y programa de entrenamiento). Con el fin de hacer un buen trabajo en cualquiera de estos, yo necesito invertir una cantidad de tiempo considerable investigando sobre las necesidades particulares de esa compañía. Ahora bien, el costo de ese tiempo se distribuye en las tres presentaciones de la propuesta. Por lo tanto, si ellos quisieran hacer una discriminación de los costos en cada una de las presentaciones, yo necesitaría incluir una cuarta categoría, denominada "investigación," la cual fue necesaria para cada una de de las tres presentaciones.

Tenga una razón sólida y válida por la cual usted no pueda suministrar una discriminación de los costos.

17. Mencionar a la competencia

Ya hemos establecido que las alternativas le dan a usted poder en la negociación. Utilice ese hecho a su favor. Mencione a la competencia. En otras palabras, haga a la otra parte consciente de sus alternativas. Recuerde, si *usted* tiene alternativas y la otra parte *no está consciente* de eso, es como si usted no contara con esas alternativas. No se trata de quién tiene el poder sino de quién parece tener el poder. Ahora, ¿qué hay si sus alternativas (la competencia) no son lo suficientemente robustas? Usted tiene un problema. Desarrolle alternativas que sean verdaderas o de lo contrario, no utilice esa estrategia.

¿Cómo se puede utilizar esa estrategia sin ofender a la contraparte? Todo depende de la forma como usted aborde el asunto. Intente diciendo algo como esto: "Iracema, realmente me gusta hacer negocios contigo y me gustaría concretar este acuerdo; pero para ser franco, no es tan viable en sentido económico para mí. Verás, tengo esta opción, la cual obviamente me resulta más conveniente, aunque preferiría trabajar contigo. ¿Tienes en mente alguna posible solución?" Deje el asunto en ese punto y vea lo que sucede. Ponga el dilema en manos de la contraparte.

Formas de contrarrestar esta estrategia:

- Desafíe la oferta de la competencia para determinar si es legítima. Averigüe tanto como pueda en relación con las alternativas de la contraparte (por ejemplo, su competencia). ¿Existen formas de averiguar los precios y las condiciones del contrato de la competencia? Usted pudiera decir algo como lo siguiente: "En cuanto a los precios y de las políticas de ABC, los conozco bastante bien y lo que usted dice no es del todo correcto," entonces guarde silencio. Con esta exploración, sin ánimos de confrontación, usted hace que su contraparte suministre más información respecto a la oferta de la competencia.
- Muestre otras diferencias que demuestren que la comparación no es válida. Esto significa, construir el valor versus la competencia.
- Agregue opciones adicionales que hagan su oferta más atractiva.
- Iguale la oferta de la competencia. Sin embargo, como último recurso, retirarse puede ser su mejor MAAN (mejor alternativa al acuerdo de negociación).

18. La técnica de añadir (también llamada cierre rápido)

Los buenos negociadores con frecuencia reservan algo para "endulzar" el cierre de la negociación. Un vendedor puede ofrecer entrenamiento sin costo. Un comprador pudiera tener algún elemento de valor agregado para suministrar al vendedor quien acepta una solicitud de precio más bajo.

Ejemplo: El dueño de la aeronave que yo compré utilizó esta táctica de forma excelente. Hubo unos accesorios del avión muy útiles que él no mencionó en el anuncio ni en las conversaciones telefónicas. Cuando nos acercábamos al punto crítico de la negociación él ofreció los artículos sin costo adicional. En lo que a mí respecta, eso terminó de cerrar el trato. Una vez que él vendiera el avión, los artículos no le serían muy útiles, pero lo serían para mí.

La técnica de añadir es la contraparte del encime. En este caso, quien la ofrece es el mismo vendedor, y esto lo hace para terminar de cerrar el trato. En la técnica del encime el comprador intenta conseguir algunos elementos de menor valor al momento de cerrar el trato.

Formas de contrarrestar ésta técnica: asegúrese que el paquéte ofrecido es completo y aceptable. Si no lo está, aún con la añadidura, no acepte la oferta. Si la oferta lo es, acepte el elemento añadido.

19. Aislamiento

La técnica del aislamiento es una técnica de hacer preguntas que le permite determinar dónde está ubicada la contraparte en un asunto en particular.

Ejemplo: usted aborda a un fabricante que pudiera proveer los componentes de su nuevo producto. Intentando explorar un rango de negociación usted pregunta: "No me imaginé que se pudiera fabricar un componente como este por menos de $10,00 dólares, ¿no es así?" Entonces usted observa las expresiones faciales y el lenguaje corporal de la otra parte para ver su reacción. Si la contraparte concuerda, entonces usted ha establecido un aislamiento menor a $10,00. Entonces puede decir: "De todos modos no me imaginaba que costara más de $12,50 dólares." De nuevo, usted observa las expresiones faciales y el lenguaje corporal y analiza el tope del rango de negociación.

Forma de contrarrestar esta táctica: simplemente detecte que la táctica está siendo aplicada y actúe en conformidad. Permanezca consciente de su propio lenguaje corporal, porque este pudiera revelar más información de la necesaria.

20. Cambio de niveles

Cuando usted no esté logrando mucho progreso en una negociación, puede resultar útil cambiar a una persona a otro nivel. En los negocios, ello pudiera implicar el cambio de una persona en un nivel alto o bajo de la organización. En una familia, puede que signifique hablar con el cónyuge y a veces con los hijos. Resulta muy difícil para los padres resistir la presión cuando los cuatro hijos están convencidos por el vendedor, quien para este tiempo ha ofrecido un paquete vacacional diciendo que éste es el mejor del mundo.

El tema de cambiar los niveles necesita ser abordado con muchísimo tacto para evitar que se produzcan afrentas. Considere la posibilidad de hacer una llamada a la otra parte en un momento en que los miembros de ese equipo no estén disponibles, particularmente si eso lo pudiera poner en contacto con alguien que tiene influencia sobre la decisión final. En el ámbito de su compañía, usted pudiera regresar a su organización y pedirle a alguien que ocupa una posición alta de contactar a su contraparte de alto nivel en la otra compañía. Normalmente es más provechoso cambiar a un nivel más alto, no obstante, no descarte la posibilidad de cambiar a un nivel más bajo.

Ejemplo: En mi compañía se estaba considerando la opción de comprar una nueva máquina fotocopiadora. Para mí era evidente que el vendedor había cambiado los niveles hacia abajo. Él se dio cuenta que yo era quién tomaba la decisión final, pero también vio la fuerte influencia que mi gerente de oficina tenía en el asunto. Cuando yo no estaba presente el concentraba su atención en ella intentando convencerla que realmente necesitábamos esa máquina. Al final, se hizo evidente que si yo quería complacer a mi gerente de oficina, yo necesitaba comprar esa máquina fotocopiadora. Este fue un caso muy efectivo de cambiar niveles en una dirección hacia abajo.

Formas de contrarrestar esta estrategia: reconozca el uso potencial de esta táctica temprano en la negociación y haga lo que sea necesario para impedirlo. Esto pudiera incluir alertar a sus superiores de su posible uso (se puede sugerir que hacer en caso de que se utilice). También se le puede decir a la contraparte: "Hay algo que usted quisiera que yo llevara para la atención de mi jefe. Yo podría hacerlo. A él no le gusta cuando alguien lo aborda directamente."

21. Asociación (también llamado afiliación)

Este método es muy sencillo. Con la asociación se intenta vincular a la parte con el uso de algo o de alguien cuya connotación sea muy positiva. Los publicistas con frecuencia utilizan esta técnica contratando atletas, estrellas de cine u otros personajes influyentes para realzar su producto o servicio. ¿Por qué? Bien, si a esta celebridad le gusta, a usted le debería gustar también. Usted se puede parecer a ellos si tiene lo que ellos tienen. En esencia, ellos están construyendo su poder de legitimidad (vea la página 50) utilizando la figura de la celebridad.

En la arena política los candidatos buscan el apoyo de políticos populares, particularmente los que están a un nivel más alto del que ellos están. El objetivo es ser asociados a estos personajes influyentes. Los candidatos también buscan el apoyo de asociaciones poderosas bien constituidas entre ellas la American Medical Association (Asociación Médica Americana), la American Cancer Society (Sociedad Americana de Cancerología), la American Association of Retired Persons (Asociación Americana de Pensionados), y muchísimas más. Los autores y publicistas buscan que sus libros se hagan más deseables a través del respaldo de otros autores y celebridades reconocidas. De la misma manera, los vendedores buscan hacer que sus productos sean más atractivos.

Forma de contrarrestar esa táctica: independientemente de las asociaciones, recuerde el beneficio real del valor ofrecido.

22. Participación activa

La participación activa implica que usted le pida a la contraparte que se ponga en su posición. Esta táctica es una excelente estrategia gana-gana.

Ejemplo: suponga que usted está negociando con Fred y él le hace una propuesta ridícula. Hay por lo menos dos manera como usted puede reaccionar y puede decir: "Fred, ¡eso es ridículo! No hay forma que yo pueda hacer eso." De seguro, esta no es una buena respuesta. Escalaría en lo negativo.

Por otra parte usted pudiera utilizar la participación activa y decir: "Esa es una propuesta interesante, pero estoy experimentando dificultades en cuanto a la manera de hacerla funcionar en nuestra organización. ¿Puedes ayudarme a entender cómo hacerla funcionar y cómo hacer que la gerencia la acepte?"

Esta es una muy buena respuesta positiva y usted le está pidiendo a Fred que se ponga en sus zapatos. Es probable que él tenga información que usted no conozca y su explicación le ayuda a ver la propuesta desde una nueva perspectiva. Sin embargo, es más probable que esta táctica le ayude a él a darse cuenta que la oferta, de hecho, era ridícula. Esto haría que él estuviera más dispuesto a modificarla.

Formas de contrarrestar esta técnica: prepare una propuesta que haga la negociación viable para la contraparte.

23. Comprendo – conozco – ésta es la solución

La estrategia, comprendo – conozco – ésta es la solución, puede ser utilizada cuando la contraparte tenga una objeción de cualquier clase. Como el título lo indica, hay tres pasos secuenciales en esta opción:

1. Comience concordando con el individuo y diciendo: "De acuerdo, comprendo cómo te sientes." ¡La gente adora cuando se le dice esto! Todo el mundo desea ser entendido. Esta frase es una de las frases más amables que usted pueda decir, siempre y cuando suene sincera y no parezca una táctica.
2. A continuación diga: "¿Sabe?, conozco a..."
3. En seguida proceda a decirles: "Ésta es la solución...", lo cual, por supuesto es lo que usted quiere compartir con ellos.

Eso es mucho mejor que decir: "¡Tonto, no se sienta así, siéntase de esta forma!" Ahora bien, es verdad que usted debe utilizar un ejemplo conmovedor para que la táctica sea efectiva. Aquí hay algunos de los ejemplos que utilizo:

Con frecuencia un programador de reuniones me dice: "Jim, no puedo pagar tus honorarios porque están muy por encima de mi presupuesto." ¿Cómo debo responder?

1. Primero, yo digo: "Comprendo lo que sucede."
2. A continuación digo: "Conozco a (fulano) quien se enfrentó a una situación similar. En este punto es bien importante que seleccione un ejemplo de alguien con quien la contraparte se pueda identificar, quizás un colega suyo o alguien familiar a su entorno. La fuerza del ejemplo es lo que con frecuencia determina la efectividad de la táctica.
3. Entonces digo: "Hasta que descubrieron mediante su propia investigación que el programa de entrenamiento que yo ofrezco garantiza más de cincuenta veces el retorno de la inversión. Entonces mis honorarios se veían pequeños. ¿Puedo enviarte por correo electrónico la carta que ellos enviaron, dándome a conocer los resultados del programa?"

Esta estrategia ¡funciona todas las veces!

Ejemplo: una pareja está considerando la posibilidad de comprar una casa de su propiedad, pero se muestra vacilante porque vale $50,000 dólares más de lo que tenían presupuestado gastar. Conociendo el poder de la táctica, comprendo, conozco, esta es la solución, usted dice:

1. "Entiendo cómo se sienten."
2. "Para ser franco, yo me sentí de la misma manera hace cinco años. Atravesamos un periodo angustioso para tomar una decisión. Todo lo que les puedo decir es que fue la mejor decisión que pudimos hacer."
3. "Encontramos más satisfacción en esta casa de la que jamás hubiéramos imaginado. Sus hijos están de la misma edad que

cuando nosotros nos mudamos aquí. Mi familia ha amado esta casa. ¡Qué recuerdos! No los cambiaríamos por nada."

Todo lo que usted necesita hacer ahora es permanecer en silencio y dejar que sus palabras calen hondo. ¡Usted probablemente ya vendió su casa!

En los dos ejemplos de arriba existe una diferencia importante. El primero sería más efectivo si se utilizara con una persona que basa la mayoría de sus decisiones en hechos fríos y duros. El segundo sería más eficaz si se utilizara con una persona que basara sus decisiones principalmente en sentimientos e intuiciones. Seleccione con cuidado el tipo de ejemplo que mejor funcione con la personalidad de la contraparte. Las personas son diferentes. Trátelas diferente.

Forma de contrarrestar esta estrategia: Reconozca el verdadero valor o los beneficios independientemente de la asociación que se haga en el ejemplo que se utilice.

24. La señal de inconformidad

Esta es una reacción física, negativa y dramática con respecto a una propuesta. La intención, por supuesto es la de reducir las expectativas de la otra parte. Si se hace de forma sincera y apropiada se logra el objetivo.

Jeanne Robertson, una gran humorista y anterior presidente de la National Speakers Association (Asociación Nacional de Conferencistas) nos cuenta una historia divertida respecto a la señal de inconformidad. Ella es una mujer alta y utiliza una talla grande de zapatos y está acostumbrada a pagar bastante dinero por sus zapatos. Cierto día, ella encontró un par en descuentos por solo $14.95 y no podía creer ese precio. Ella le preguntó a la vendedora si el precio era el correcto. La mujer contestó que sí.

Ella hizo un ademán de inconformidad, dando a entender que no podía creer ese precio tan barato. La vendedora le dijo, "Madam [era del sur], para usted el día de hoy ¡el precio es de solo $12.50!"

El gesto de inconformidad, utilizado apropiadamente puede ser una táctica muy eficaz. Utilícelo cada vez que su reacción natural implique un desconcierto con respecto a lo que la otra parte esté diciendo o proponiendo. Si usted no puede concebir una oferta por ser excesivamente alta, déjelo saber a través de su lenguaje corporal. No lo finja. Si usted quiere parecer un actor puede echar a perder su credibilidad. Sin embargo, no dude en dejar que sus verdaderos sentimientos se demuestren.

Cómo contrarrestar esta táctica: reconózcala y no se deje influenciar por esta. Algunos negociadores *siempre* la utilizan, aún hasta en los casos en los que les gusta la propuesta. También recuerde que cuando la otra parte hace el gesto de inconformidad, puede ser como en el caso de Jeanne, debido a que el precio está demasiado bajo.

25. Coacción externa

Esta estrategia añade un tipo de límite externo a su espectro de negociación (que usted no puede controlar). Su objetivo es llevar a la otra parte a hacer concesiones debido a que usted no tiene que hacer porque existe un límite externo impuesto. Ese límite puede ser el resultado de:

- El presupuesto
- Un jefe
- Un compañero de negociación
- Las políticas de un comité (sobre el cual usted no tiene control)
- Su cónyuge (a quién usted prometió algo)

Ejemplo: Mi esposa utiliza esta táctica con eficacia. A ella le encanta ir de compras y se ha convertido en una negociadora experta. Antes de salir de compras fijamos el monto que puede ser gastado. Cuando ella ve cierto elemento en particular que le gusta, ella es presta a decirle al dueño cuánto le gusta. Le dice al vendedor que *bien vale la pena el precio*, pero ella también le explica que está bajo un presupuesto y que no puede gastar más de cierta cantidad (ella menciona la cantidad). Básicamente ella admira el elemento y concuerda con el vendedor que el precio fijado es el precio justo. Entonces ella se queda en silencio. A la contraparte ahora le corresponde hacer el próximo movimiento. Con frecuencia el vendedor está dispuesto a vender el artículo por el precio que ella dijo que era su límite. Si no, nada se pierde. La relación todavía es fuerte. No hubo regateos en cuanto al precio o la calidad del producto. De hecho, en esencia se hicieron solo dos declaraciones:""vale la pena el precio y solo tengo este dinero disponible". ¿Quién dice que las negociaciones tienen que convertirse en confrontaciones?

Formas de contrarrestar esta estrategia:

- Cambie la forma de pago.
- Cambie la propuesta para reducir el costo.
- Cambie la coacción externa. (Es posible que la hayan fabricado.)
- Utilice la táctica Comprendo – conozco – esta es la situación (página 178)

26. *El comprador o el vendedor reacio*

La siguiente situación representa al "vendedor reacio:" Joe coloca un aviso en el periódico para vender su bote. Tom viene, lo mira, le gusta el bote y pregunta cuánto vale. Joe entonces dice que ha decidido no venderlo porque le gusta mucho y que ha chequeado los precios y que no lo puede reemplazar con nada cercano. Sin embargo, percatándose de cuánto quiere Tom el bote, Joe le pregunta a Tom cuántos sería su presupuesto para el bote. Observe lo que ha pasado allí. Tom, bajo esas circunstancias, está más dispuesto a decirle a Joe la cifra mayor que estaría dispuesto a pagar por el bote.

Una joven que asistió a uno de mis seminarios compartió otro gran ejemplo: Ella colocó un aviso en el periódico para vender su automóvil. En la prueba de conducción con su primer prospecto, ella se dio cuenta cuánto le gustaba el auto y le explicó a su prospecto que había cambiado de decisión y que ya no iba a vender el auto. Él le dijo: "¿Cuánto ibas a pedir por el vehículo?"

La mujer le dio una cifra.

Él le dijo, "Lo tomo."

Ella le dijo: "No, realmente quiero conservar mi auto. En verdad me gusta."

Él incrementó la oferta con una cantidad considerable.

Ella de nuevo dijo, "No, en verdad, no lo voy a vender." Para su sorpresa él incrementó la oferta dos veces más.

Al final, ella lo convenció de que no quería vender el automóvil.

Ahora bien, yo no estoy sugiriendo que usted actúe como un comprador o vendedor reacio, cuando en realidad usted no lo sea. Lo que estoy sugiriendo es que utilice el tiempo y otros factores para jugar el papel del comprador o el vendedor reacio. Aquí hay un ejemplo de cómo hice eso:

La última vez que me mudé de Green Bay hacia Phoenix, tuvimos que vender nuestra casa en Wisconsin y comprar una nueva en Arizona. Teniendo la fecha de traslado todavía en el futuro, decidí utilizar el tiempo para mi ventaja. Yo puse mi casa de Green Bay a la venta y empecé a buscar casas en Phoenix.

En esa oportunidad yo jugué el papel tanto de comprador como de vendedor reacio. ¡Qué gran situación de ventaja! Yo fijé el valor de mi casa un poco por encima del precio del mercado. Si se presentaba una persona para comprarla, yo estaría feliz porque tendría dinero extra en el bolsillo y haría mi traslado un poco más rápido.

De forma similar, yo tenía a mi agente en Phoenix buscando una casa a precio de oferta. Si el precio me parecía buena, tomaba la opción y me trasladaba por anticipado (también podía dejar la casa nueva vacía unos meses, por supuesto, dependiendo del clima – los inviernos de Green Bay y los veranos de Phoenix no son precisamente los mejores momentos para trasladarse).

Formas de contrarrestar esta estrategia: recuerde, muchas personas deshonestas usan esta estrategia de forma desdibujada. Lea el lenguaje corporal de la contraparte para determinar si la reacción es sincera o fingida. Mientras más averigüe y conozca a la otra parte, mejor.

27. El cachorrito

Esta estrategia adquiere su nombre de la situación en la que un niño de cinco años y sus padres están considerando la posibilidad de comprar un cachorrito. El dueño de la tienda está a punto de hacer el cierre del fin de semana y dice: "¿Por qué no se llevan al cachorrito a casa durante el fin de semana? Entonces, el lunes en la mañana deciden si lo compran o no." ¿Se logra vender al cachorrito?

La definición de esta estrategia está relacionada con permitir a la otra parte "pruebe" sin compromiso "comprar" (o "acordar"). La intención es hacer que la contraparte se implique emocionalmente en el asunto de modo que después no puedan decir no.

Utilice esta estrategia *únicamente* cuando sepa que la contraparte va a tener una gran experiencia con la "prueba." Ésta táctica es muy utilizada por los distribuidores de automóviles, los puntos de venta de las sillas masajeadoras, en los supermercados con los stand de degustación y en los infomerciales de televisión; en esencia, en toda situación donde el comprador potencial pueda experimentar emociones positivas. Esta es la razón por la cual se ofrecen muchos productos y servicios por un periodo gratis de prueba de treinta días, o los primeros tres meses a mitad de precio.

Ejemplo: Hace varios años, un hombre estaba vendiéndome un aeroplano. Lo primero que dijo fue: "Jim, ponte en la silla del piloto e iniciemos la marcha." ¿Qué piloto puede resistir esa tentación?

En seguida preguntó: "¿Has tenido un avión con radar a color?"

"No", le contesté.

"¡Te encantará este!" Lo encendió y pasó a explicar cuán seguro sería volar con toda mi *familia*.

"¿Alguna vez has tenido un avión con un tormentos copio?"

"No."

"¡Te encantará este!"

Entonces contactó a mi esposa a través del teléfono de vuelo de modo que le pudiera decir cuánto estaba disfrutando de la aeronave. Con todo eso, yo estaba entusiasmado. Finalmente, cuando estábamos a punto de aterrizar, encendió el radar altímetro.

"¿Alguna vez hiciste un acercamiento por instrumentos donde descendiste al mínimo, sin ver la pista y perdió la aproximación?"

"Sí, muchas veces."

"Este radar altímetro te dice exactamente qué tan alto estás cuando te encuentras haciendo una aproximación baja por instrumentos... ¡y con todos tus hijos en los asientos de atrás!"

¿Compré el avión? Sí.

¿Pagué más de lo que debí haber pagado? ¡No lo dude!

Sin embargo, aprendí dos lecciones importantes:

- La estrategia del cachorrito funciona. Así que, ¿qué hice yo cuando vendí el avión años después? ¡Imagínelo! Utilicé la estrategia del cachorrito. ¡Y también logré un buen precio por él!
- También aprendí la contraparte a la estrategia del cachorrito.

Forma de contrarrestar esta estrategia: negocie antes de "probar."

Imagine lo que hubiera sucedido si al principio yo hubiera dicho: "Antes de hacer un vuelo de prueba tenemos que hablar del precio. Estuve mirando un avión con las mismas características con un precio de $10,000 dólares menos y hay aún otro $15,000 dólares menos; y me gustaría verlos *hoy* antes de tomar una decisión final."

¿Hubiera estado en una mejor posición de negociación? No hay duda de ello.

28. *La expresión de sorpresa*

La expresión de sorpresa se describe mejor con la declaración: "¡Tienes que ofrecer algo mejor que eso!" El propósito es forzar a la otra parte a hacer una mejor oferta. Quienes la usan con eficacia, lo hacen así la oferta o propuesta sea aceptable. La expresión de sorpresa funciona prácticamente siempre con tal que la otra parte no se dé cuenta que está siendo utilizada.

Formas de contrarrestar esta técnica: las siguientes palabras que se digan probablemente determinarán el resultado de la negociación. Aquí hay unas opciones:

- *"¿Ah?"* Esta es probablemente la mejor respuesta. Note cómo la entonación devuelve la atención a la contraparte a través de la táctica.

- *"Bien, ¿cuánto tengo que mejorarla?"* Esta respuesta implica que usted puede mejorar la oferta. Pero que no es bueno hacerlo en este momento sino más adelante durante la negociación.

- *"He examinado esto de todas las formas posibles y creo que no puedo hacer mejor oferta que esa."* Una forma diplomática de decir "no."

- *"No hay mejor oferta que esa."* Una forma más fuerte de decir "no."

29. El indefenso y humilde

La posición del indefenso y humilde implica una admisión de una condición débil donde se usa esa misma debilidad como ventaja. Esta estrategia funciona mejor con personas que suelen manifestar empatía y compasión. A su vez, no es muy práctico utilizarla con personas de disposición competitiva y dominante. El propósito, por supuesto es utilizar la debilidad y la vulnerabilidad para apelar a la misericordia de la contraparte.

Ejemplo: usted compró una casa hace un año y arregló el financiamiento con el dueño y no tuvo problema con los pagos hasta hace seis meses cuando usted perdió su trabajo. Los pagos empezaron a quedar atrasados hace cinco meses y ahora debe $5,500 dólares. El vendedor ha amenazado con liquidar la hipoteca. Usted ha pedido tener una reunión más con él. Cuando se reúnen usted dice: "Kellen, realmente me siento muy mal con todo esto. Tú conoces mi situación y has sido muy paciente conmigo. En verdad, aprecio mucho eso. Ashley y los niños también lo valoran. Tú sabes que he estado intentando conseguir un empleo y lo encontré ayer. Solo paga el salario mínimo, pero al menos es algo. Ashley también está buscando trabajo. Anoche nos sentamos y preparamos un presupuesto. Los chicos también estuvieron de acuerdo. Ellos saben que no habrá gastos extra, ni regalos, ni vacaciones. Sin embargo, podemos hacerlo funcionar si te pagamos un mínimo de $100 al mes, más la cuota regular de $1,000; solo hasta cuando yo consiga un mejor trabajo. Al comenzar el próximo mes Ashley aportará $100 adicionales de su salario. ¿Qué piensas? ¿Hay posibilidades que puedas aceptar el pago así?"

Usted es humilde, está indefenso, todo lo que usted puede hacer es apelar a su misericordia.

Formas de contrarrestar esta estrategia: reconózcala como una estrategia y evalúe la verdadera situación de la otra parte. No permita que su empatía o simpatía tome el control total de la toma de su decisión. Por otra parte, decida hasta qué grado quiere utilizar su poder para construir relaciones a largo plazo (vea la página 15).

30. El mudo

Hay dos razones por las que hacer el papel del mudo funciona bien para muchas personas:

- La táctica en sí inestabiliza. La otra parte se relaja y baja la guardia porque su contraparte parece inepta.
- Descubrimos nueva información que de ningún otro modo conoceríamos porque la otra parte hace un esfuerzo adicional para explicar las cosas mejor.

Formas de contrarrestar esta estrategia: reconozca la táctica y no caiga en el juego.

Recuerde el dicho que es mejor permanecer callado y parecer un tonto, que hablar y confirmar la duda.

Ahí están, treinta de las estrategias y tácticas más importantes en las negociaciones. Apréndalas, practíquelas, interiorícelas y algo muy importante: esté preparado para contrarrestarlas. Otros las usarán en su contra.

12

CÓMO EVITAR ERRORES COMUNES

*"La verdad, así como el oro, se obtiene
no porque se cultive, sino más bien
por medio de eliminar todo aquello que no es oro".*

— LEÓN TOLSTOY

La mayor parte de este libro se dedica a analizar lo que se "debe hacer" en una negociación. Este capítulo final está dedicado a evitar "los errores comunes" que cometen hasta los negociadores más experimentados. Diez cosas "bien hechas", durante una negociación, pudieran no superar una sola cosa "mal hecha". Conozca los errores comunes y evítelos. Aquí están las verdaderas nueces del árbol, que de seguro, si se interiorizan harán de cualquier persona un maestro de la negociación.

1. Subvalorar su propio poder en una negociación

En varios simposios celebrados en la Escuela de leyes de Harvard, la facultad ha presentado estudios que confirman que la mayoría de los negociadores tienden a subvalorar su propio poder en una negociación. ¿Por qué? Se hacen muy conscientes de sus propias limitaciones pero no de las de la contraparte. Por lo tanto, se forma una fuerte correspondencia en la que ambas partes subvaloran su propio poder durante una negociación. Y cuando esto ocurre, las partes están menos prestas a tomar riesgos, lo que a su vez, reduce aún más su poder de negociación.

El negociador experto tiene esto en mente y comprende que su posición probablemente es más fuerte de lo que normalmente cree. Cuando se hace esa compensación mental se aumenta la confianza, lo que finalmente hace la diferencia al momento de la negociación.

2. Precipitarse a hacer conclusiones

Este es uno de los errores más comunes. Asumir cosas en vez de conseguir todos los hechos. Un buen ejemplo de esto es cuando se asume que se saben las necesidades y deseos de la otra parte, en vez de explorar a través de preguntas para determinar con precisión lo que estos en realidad son. Herb Cohen dice que él utiliza dos preguntas para asegurarse que no está precipitándose a hacer conclusiones. Las preguntas son: "¿Ah?" y "¿Qué?"

3. No entender la perspectiva de la otra persona

Sin duda usted está familiarizado con fotos o diagramas que proyectan imágenes distintas de una misma cosa, las cuales difieren, dependiendo de la perspectiva desde dónde se las mire. Resulta sorprendente la similitud de estos ejemplos y las situaciones típicas de una negociación. Con mucha frecuencia, se observan diferentes perspectivas respecto a una misma situación. Los negociadores expertos saben esto, de modo que no trabajan únicamente desde su propia perspectiva. Ellos exploran para determinar la perspectiva de la contraparte. Cuando usted hace esto, está en mejores condiciones de proponer una solución de mutuo beneficio.

4. Concentrarse en la posición, no en el interés

Uno de los hallazgos más significativos del proyecto de negociación de Harvard, es que uno de los errores más comunes en las negociaciones consiste en concentrarse en la posición de la contraparte en vez de en sus verdaderas necesidades e intereses.

Ejemplo: Dos hijas están discutiendo por la última naranja disponible. Ambas quieren la naranja y cada una de ellas está preocupada por la posición de la otra parte, es decir, que su hermana quería la naranja. Un buen padre, al escuchar la disputa le da un cuchillo a una de las hijas y le pide que divida la naranja en dos partes y le dice a la otra hija que decida cuál de las partes quiere tomar. ¿Una solución brillante? En realidad, no. Como usted puede ver, cada una de las hijas obtuvo la mitad de lo que realmente quería. Es posible que si se hubiese explorado a fondo el interés detrás de cada posición se hubiera descubierto que una de las hijas quería la naranja para hacer un jugo, mientras que la otra necesitaba las cáscaras para hornear.

Ahora bien, es probable que usted piense que este es un ejemplo muy simple y que la mayoría de los negociadores habrían descubierto el dilema, permitiendo a las dos hijas recibir lo que querían. El asunto no es tan sencillo. Hace algunos años desarrollé un escenario de negociación aplicando esta situación del jugo versus las cáscaras. Hasta la fecha, he utilizado este escenario de negociación con más de 7,000 ejecutivos de grandes empresas y vendedores élite de todo el mundo. Los equipos negociando sobre las naranjas no se dieron cuenta (ni siquiera exploraron el interés detrás de la posición) que cada parte quería un uso diferente para la naranja. Para una parte, el jugo era lo valioso y para la otra, la cáscara. En promedio, un 20% de los equipos exploraron lo suficiente para luego aprovechar tanto el jugo como la cáscara. Como resultado los demás equipos dejaron de percibir decenas de miles de dólares. Este ejemplo ilustró muy bien el punto. Todos los participantes aprendieron por experiencia a averiguar qué hay detrás de una posición, de modo que puedan conocer las verdaderas necesidades y los verdaderos intereses de la contraparte.

5. Seguir la regla de oro en vez de la regla de platino

De nuevo, las personas son diferentes. Trátelas de forma diferente en que *ellas* desean ser tratadas. No de la forma en que a *usted* le gustaría ser tratado. Adopte una orientación hacia los "demás" y no hacia "usted" (vea la página 17),

6. Entrar en una negociación sin un MAAN

Roger Fisher y William Ury en su famoso libro "*Getting to Yes*" ("Consiga el Sí") señalan la importancia extrema de tener una MAAN, es decir, mejor alternativa al acuerdo negociado, antes de entrar a participar en una negociación. La única razón para negociar en primer lugar es cuando se llega a la conclusión que es mejor negociar que nada. Si usted se toma el tiempo para considerar su MAAN, podrá determinar su mejor alternativa. En el caso de una disputa comercial pudiera tratarse de una demanda y su consecuente comparecencia ante la corte. En el caso de la negociación del costo de un proyecto de remodelación su MAAN pudiera ser utilizar a otro contratista. En el caso de una disputa marital, pudiera ser acudir a sesiones de consejería matrimonial. En el caso de una disputa entre los trabajadores y la gerencia pudiera ser una huelga (por parte de los trabajadores) o cerrar operaciones (por parte de la gerencia).

Detengámonos un momento. Las MAAN mencionadas arriba son todas razonables. De hecho pudieran ser las mejores para cada situación. Sin embargo, hagamos una lluvia de ideas para ver si podemos tener mejores MAAN de las mencionadas.

- En el caso de una disputa comercial, otra MAAN pudiera ser llevar el asunto ante la American Arbitration Association (Asociación Americana de Arbitramento).
- En el caso del costo del proyecto de remodelación, otra MAAN pudiera ser que un que un amigo le ayuda y entre los dos hacen la remodelación.
- Respecto a la disputa marital, otra MAAN pudiera ser irse a un campo de retiro matrimonial.
- En el asunto de la disputa entre los trabajadores y la gerencia, otra MAAN pudiera ser resolver las diferencias a través de un árbitro que ambas partes avalen.

Con lo anterior, no estoy diciendo que las sugerencias anteriormente presentadas sean mejores que las primeras. Lo que estoy sugiriendo es que es excelente cuando hay más alternativas entre las cuales elegir, de modo que usted pueda tomar la mejor.

Una de las mejores ventajas de tener una MAAN en cada negociación es que le ayuda a determinar su propia filosofía de negociación. Ésta puede ser "dura" o "blanda," "firme" o "flexible." Todo dependerá de lo eficaz que pueda resultar la estrategia. Cuando se tiene una MAAN robusta, uno se puede permitir asumir más riesgos, como por ejemplo aplicar las tácticas de retirada o de tómalo o déjalo.

7. Asumir que el problema de "ellos" es el problema de "ellos"

Ejemplo: Yo tuve un cliente, una compañía de construcción, que me ayudó a comprender la importancia de este error común en las negociaciones. Ellos tenían un cliente, quien luego de varios años desarrolló pequeñas fisuras en las carreteras que construyó la compañía, la cual se sintió tranquila una vez comprobaron que la garantía se había vencido el mes anterior. El problema del cliente, era un problema del cliente. Sin embargo, el cliente contrariado fue ante una estación de televisión donde consideraron que la compañía no estaba manejando el problema apropiadamente. La publicidad negativa del programa de televisión hizo que el problema del cliente se convirtiera en el problema de mi cliente. En una negociación sea previsivo y no permita que el problema de "ellos" se convierta en "su" problema.

8. Enfrascarse en un solo punto de la entera negociación

En casi todos los procesos de negociación por lo general hay más de un solo elemento que debe negociarse. Cuando este es el caso, el negociador se da cuenta de la importancia de no detenerse en uno solo de los puntos a negociar. Un buen ejemplo de esto puede ser el precio, el cual, si se convierte en un asunto no negociable para alguna de las partes, la otra parte puede hacer concesiones si se logran hacer otras concesiones que satisfagan las necesidades en temas como las tasas de interés, los acuerdos de pago, la calidad, las especificaciones del contenido y cosas por el estilo. El negociador exitoso mira todo el paquete y no se detiene por un solo elemento.

9. Asumir un pastel fijo

Muchos negociadores ven cada negociación como un pastel fijo. Yo gano, tú pierdes y viceversa. Este normalmente no es el caso debido a los muchos factores de variabilidad en una negociación y el valor relativo de cada uno de esos factores.

Ejemplo: yo dispuse vender una pequeña propiedad y la encargué a un agente inmobiliario muy creativo. Aunque el precio que se anunciaba era mayor, mi agente sabía que mi tope mínimo era de $50,000. Cierto día, ella se presentó y me habló de una oferta de

$48,000. Ella dijo: "Sé que su tope mínimo es de $50,000, pero por favor considera esta oferta de $48,000. Creo que puede resultar por la forma de pago ya que al final le reportará a usted más por el valor exento de impuesto que tendría en contraste con el impuesto que tendría que pagar hoy si la transacción se hiciera por los $50,000." Yo examiné la oferta, lo consulté con mi contador y comprobé que ella tenía razón. Yo acepté la oferta. Después de cerrar el negocio le pregunté a ella cómo lo había manejado con el comprador. Ella dijo: "Él no estaba dispuesto a pagar más de $47,000. Sin embargo, yo sabía que él tenía un problema de flujo de caja. De modo que yo estructuré un plan de pagos que le beneficiara a usted desde el punto de vista de los impuestos y le ayudé a él con su problema de flujo de caja. Y él acordó en aumentar su oferta a $48,000 dado ese nuevo plan de pagos." Ese es un gran ejemplo de un agente de finca raíz muy creativo que no asumió un pastel fijo.

10. No permitir que la otra parte salve las apariencias

¿Cuántas veces hemos visto a un negociador acorralado a sí mismo en una esquina donde le es imposible completar la negociación y salvar las apariencias al mismo tiempo? El negociador experto entiende esto y crea alternativas que le permitan al vendedor salvar las apariencias luego de haberse acorralado.

Ejemplo: cuando alguien dice: "Ésta es mi oferta final" y hace de ello un gran punto. En esa situación, esa persona se ha acorralado a sí misma en una esquina. Los buenos negociadores buscan circunstancias o hechos adicionales que le permitan a la contraparte reacomodarse a una "oferta final," ayudándoles así a salvar las apariencias.

11. El síndrome de la solución "única"

Muchas veces, el negociador, habiendo hecho la tarea que le corresponde, viene a la mesa de negociaciones convencido que la solución que ha diseñado es la perfecta para resolver el problema. Aunque prepararse de antemano y pensar de forma creativa siempre son muy útiles al momento de una negociación, no se encasille en el síndrome de la solución "única." Preséntese ante la negociación con mente abierta, dispuesto a explorar posibles soluciones.

12. Ofrecer *partir la diferencia*

Observe que aquí se hace énfasis en la palabra "ofrecer." Yo no estoy diciendo que partir la diferencia no sea una alternativa. Más bien, el asunto es que cuando *usted* es el que ofrece partir la diferencia lo pone en una situación débil.

Ejemplo: Si yo estuviera en $200,000 dólares y usted en $190,000, ¿Cómo ofrecería partir la diferencia, en $195,000? Eso lo pondría en la posición más débil. Si yo fuera un buen negociador, yo pudiera decir: "Bien, veamos, yo estoy en $200,000 y tú en $195,000..." ¡Vaya! Eso no es lo que usted quiso decir... pero usted lo hizo cuando estuvo *dispuesto* a moverse a los $195,000. Ahora, ¿Qué pudiera decir yo? "Yo no estoy dispuesto a cambiar mi oferta de $200,000." [Silencio] ¿Cómo se siente usted ahora que está en una posición difícil? Y entre más largo sea el silencio, peor será esa posición.

Ahora la gran pregunta: ¿qué debió haber hecho usted si quería repartir la diferencia? Intente hacer que la oferta sea propuesta por *la otra parte*. "Kevin, estamos tan cerca, quisiera que esto funcionara para los dos. Solo quiero que sea equitativo. ¿Tienes alguna idea?" [Silencio, silencio] Ahora, si yo digo: "Tal vez podamos dividir la diferencia," usted pudiera decir: "Bien, si eso es aceptable para ti, puedo consultarlo con mi socio y ver si está bien."

¡Qué trabajo tan bien hecho! Usted no solo me hizo dividir la diferencia, sino que todavía no se ha comprometido. Yo me he comprometido antes de usted y usted va a consultarlo con su socio (agente de autoridad limitada).

13. Envolverse demasiado en sentido emocional

La emoción, y la consecuente pérdida de la objetividad constituyen un gran error al negociar. Lo que sucede es esto: usted está en una negociación difícil y ha fijado una meta económica realista. Usted está tan enfocado en lograr su meta financiera, en "ganar la negociación," que usted pierde de vista el gran cuadro por el cual empezó a negociar.

Ejemplo: Usted acaba de encontrar el bote ideal que ha estado buscando por meses. El dueño le ha fijado el precio de $39,950 dólares. Usted se ha imaginado que lo puede adquirir por $35,000 y aplica todas las técnicas de negociación que conoce y logra hacer que se le rebaje a $36,500. Ahí es bueno preguntarse lo siguiente, antes de cometer un gran error: "¿Vale la pena que asuma este riesgo de solo un 10% de probabilidad y perder esta gran oportunidad por solo $1,500?" Cuidado, las emociones pueden hacerle perder algo que usted realmente desea. Mantenga la vista global. No permita que sus emociones o su ego le hagan tomar decisiones de las cuales se arrepienta después.

Conclusión

"Los negociadores exitosos han logrado su formación
a través de desarrollar el hábito de hacer todas
las cosas que los negociadores frustrados
no hacen y no les gusta hacer."
— JIM HENNIG

¿Cómo puede usted sacar el máximo provecho de este libro?

Léalo de principio a fin y marque los puntos a los cuales le gustaría dedicar más tiempo. Esto le dará un mejor cuadro de todos los aspectos de la negociación. Observe cómo todos los capítulos se complementan. Cada uno forma parte integral del gran mosaico de la negociación.

Repase los puntos que haya marcado y dedique el tiempo necesario a interiorizar cada concepto.

Antes de ir a su próxima negociación revise cada capítulo, uno a la vez, y hágase preguntas como las siguientes:

- Capítulo 1. ¿Qué información sería útil conocer desde el comienzo? ¿Qué preguntas puedo formular eficazmente al principio de esta negociación?
- Capítulo 3. ¿Qué factores de poder me afectarán en esta negociación (y afectarán a la contraparte)?

- ¿En qué situación me encuentro? ¿Cómo puedo utilizar uno o más de estos factores para aumentar mi poder?

- Lleve el libro con usted a algunas negociaciones, y si resulta apropiado, durante los recesos, refresque su memoria sobre las alternativas posibles ante un impase (capítulo 7), también sobre las estrategias y tácticas (capítulo 11), cómo manejar a los negociadores difíciles (capítulo 6) y así por el estilo.

- Una vez termine la negociación, revise lo que sucedió y consulte el libro como guía, capítulo a capítulo. Establezca donde se cometieron errores (capítulo 12), las preguntas que pudieron haberse formulado (capítulo 1), y lo que quizás haya olvidado cuando se encontró en una posición débil (capítulo 5).

Recuerde que llegar a convertirse en un negociador experto es un *proceso*, no un evento singular de aprendizaje. Mientras que una persona puede incrementar su aprendizaje aplicando los conceptos aprendidos en un libro o en un seminario, la repetición espaciada en el aprendizaje y la práctica son la clave.

Luego de un discurso o un seminario muchas personas me abordan con preguntas. La mayoría de esas preguntas se han considerado en este libro. Sin embargo, todavía hay algunas preguntas que he reservado para esta sección de conclusión.

¿Dónde es mejor negociar, en mi lugar (oficina, hogar, etc.) o en el lugar de la otra persona?

La respuesta es negociar donde mejor usted pueda controlar el entorno. Esto normalmente significa su propio lugar. Cuando usted puede controlar el entorno, usted adquiere una ventaja significativa. Tenga en mente que la configuración del salón, la ubicación de las mesas y de las sillas, la iluminación, el tipo y la altura de las sillas, todos estos factores contribuyen a su habilidad de crear el entorno que mejor cumpla con sus objetivos de negociación (vea el capítulo 8 "El lenguaje corporal").

Sin embargo, hay circunstancias donde usted deseará considerar la posibilidad de negociar en un sitio neutral o en el territorio de la contraparte. Una razón para negociar en su lugar es si usted sabe que está tratando con un agente de autoridad limitada. Si la autoridad final está en ese territorio, lo más probable es que sea conveniente desplazase hasta allá. Así, es probable que pueda neutralizar el uso de esa estrategia.

En las situaciones donde no hay un punto de inicio natural, ¿es mejor para mí hacer la oferta inicial, o animar a la otra parte a hacerla?

Esta es una excelente pregunta. La respuesta es "depende." Y depende de:

Si usted está tratando con una persona a la cual considera sincera con respecto a sus necesidades. Si así es, anímela a hacer la oferta inicial. ¿Por qué? Tal vez esa persona le sorprenda y le ofrezca algo mejor de lo que usted imaginaba. Usted no querrá perderse esa oportunidad. Si lo hace, ¿qué hará usted? Recuerde el capítulo 4: "Haga y obtenga concesiones":

Rara vez acepte la primera oferta (página 71)

Haga que la gente se gane las concesiones (página 72)

Por otra parte, si usted considera que está tratando con alguien que pudiera utilizar la técnica de irse a los extremos, es posible que sea mejor que usted haga la primera oferta. Haga la oferta tan alta o tan baja como pueda, dentro de los límites razonables.

¿Existe algún estudio que compare la efectividad para negociar de los hombres y de las mujeres?

En este momento, no estoy al tanto sobre un estudio en este campo. Yo tengo mi propia opinión basada en los miles de hombres y mujeres que he observado negociar en situaciones tanto reales como simuladas, durante las últimas dos décadas y considero que no hay diferencia sustancial en relación con la efectividad relativa que existe entre los negociadores de ambos sexos.

¿No se intimida la gente cuando saben que tienen que negociar con usted?

Yo les digo que no se intimiden, y les invito a leer mi libro, a escuchar mis CDs, a tomar mi curso en línea y a aprender de otros productos y seminarios disponibles. ¿Por qué quisiera yo que alguien supiera todo lo que yo sé? Es simple: Mi propósito principal es ayudarles a conseguir lo que desean y yo también conseguir lo que deseo, si esa es mi meta (¡y realmente lo es!) ¿Por qué se tiene que sentir alguien intimidado? Entre más conozcamos sobre la forma correcta de conducir las negociaciones, más rápido llegaremos a una solución mutua que nos beneficie.

Y ciertamente, no voy a utilizar ninguna técnica de negociación para tomar ventaja injusta de alguien. Yo pudiera hacerlo una o dos veces, pero la gente se daría cuenta de mis malas intenciones y no desearía asociarse más conmigo. Es cierto que podría continuar buscando a nuevas víctimas. Pero estas con el tiempo también se acabarían.

Si alguna vez usted tiene la oportunidad de realizar negocios conmigo, y deseo que así sea, espero que lea el libro primero. Y si usted concuerda con mi filosofía, existen probabilidades de que lleguemos muy fácilmente a un acuerdo aceptable.

Usted habla de muchísimas directrices, estrategias, reglas, principios y cosas por el estilo. ¿Hay lugar para, en algún momento negociar por intuición, es decir, hacer lo que instintivamente usted siente que debería hacer?

Incuestionablemente, ¡sí! Considérelo de la siguiente manera:

En primer lugar, para ser un buen negociador, usted debe conocer y entender las reglas del juego, en esencia lo que se considera y enseña en este libro.

En segundo lugar, usted debe interiorizar esta información a través del uso en sus negociaciones diarias. Entre más aplique estos principios al negociar, mejores habilidades desarrollará y los principios se convertirán en un hábito. Y una vez esto ocurra, serán más fáciles de aplicar. De modo que mi recomendación es: aplíquelos con frecuencia. Conviértase en un buen negociador.

En tercer lugar (y esta es la respuesta central a la pregunta), usted empieza a adquirir un sentido de perspectiva amplio con respecto a las negociaciones, entonces su intuición empieza a decirle cuándo y cómo debe usted abordar su próximo desafío de negociación. El noventa y cinco por ciento del tiempo usted estará siguiendo estas directrices y principios, sin embargo, el cinco por ciento restante es muy importante. Este es el que separa a los buenos negociadores de los negociadores excelentes, quienes operan por intuición.

¿Nacen algunas personas con el don de negociar o es algo que se aprende?

La gente nace con ciertas tendencias naturales. Algunos de nosotros nacemos con tendencia a ser mejores negociadores que otros. Sin embargo, yo considero que esta tendencia natural juega un papel comparativamente pequeño en la efectividad al negociar. En otras palabras, yo creo que si dos personas están negociando, y una de ellas tiene habilidades naturales para la negociación, pero no tiene entrenamiento y experiencia, y la contraparte no tiene la tendencia natural, pero cuenta con buen entrenamiento y experiencia en el campo, la última persona lo va a hacer mucho mejor en el ámbito de la negociación.

Si esta observación es correcta, y personalmente creo que así es, esto significa buenas noticias para todos nosotros. Sin importar dónde nos encontremos en la escala de efectividad en cuanto a negociación, con el entrenamiento y experiencia apropiados, todos estamos en capacidad de convertirnos en excelentes negociadores. La expresión: "Yo soy un pésimo negociador" ya no es una excusa, a menos que *escojamos* ser malos negociadores.

Resultan muy ciertas las palabras de Walter Russel con respecto a los negociadores de hoy en día:

"La mediocridad es auto impuesta, la genialidad se cultiva".

El estudio y la práctica de los principios y técnicas considerados en este libro le conducirán por el gran camino para que pueda convertirse en un "genio" negociador.

> "Este maestro de la negociación comparte sus mejores procedimientos y técnicas probadas las cuales cambiarán su forma de hacer negocios. Aprenda a perfeccionar el arte de la negociación a través de este conocimiento iluminador. Una obra que debe leer todo negociador profesional."
>
> —NIDO QUBEIN, director ejecutivo de High Point University y presidente de Great Harvest Bread Company

"Tanto novatos como expertos podrán aumentar sus niveles de eficacia a través de la lectura de esta obra maestra."
—DANIEL BURRUS, autor de "Technotrends"

"Jim Hennig establece un plan de vuelo que ayuda a evitar las turbulencias en la negociación, las cuales son muy comunes de encontrar cada día. El planear las estrategias de negociación por adelantado constituye la clave de mantener las relaciones y de garantizar los resultados. Todos podemos aprender de la extensa experiencia de Jim. Apunte este libro en su lista de libros para leer."
—HOWARD PUTNAM, anterior president de Southwest Airlines y autor del libro "The Winds of Turbulence" ("Los vientos de la turbulencia")

"*Negociando para ganar* pone un excelente juego de herramientas sobre la mesa. Jim Hennig se comunica en las negociaciones como ningún otro."
—RITA DAVENPORT, presidente de Arbonne International

"*Negociando para ganar* recopila dos décadas de experiencia en entrenamiento con miles de personas de distintos ámbitos. Este es un libro fácil de leer y contiene más de trescientos ejemplos sobresalientes de la vida real que demuestran lo fácil que es aplicar sus consejos. Con este libro usted podrá llevar sus habilidades de negociador al siguiente nivel. Verá resultados inmediatos."
— TOM HOPKINS, autor del libro "How to Master the Art of Selling" ("Cómo dominar el arte de vender")

"¡Informativo! ¡Entretenido! ¡Práctico! La filosofía singular de Jim, sus técnicas de enseñanza magistrales y sus cientos de ejemplos de la vida real harán que usted mejore de inmediato su eficacia al negociar."
—BOB DANZIG, anterior president de Hearst Newspapers, autor y miembro de "Speakers' Hall of Fame"

"¡Simplemente hágalo! Lea este libro, siga su consejo y logrará resultados asombrosos. ¡Este libro práctico y fácil de leer suministra docenas de ejemplos del mundo real que ya han sido probadas y están listas para usar!" Cuando usted practica y utiliza los principios de asociación, puede estar seguro de estar conduciendo las mejores negociaciones. ¡Las técnicas y sugerencias del doctor Hennig lo convertirán a usted en un verdadero ganador!
—EDWARD E. SCANNELL, CMP, CSP, anterior presidente de American Society for Training and Development, Meeting Professionals International National Speakers Association. Coautor de Games Trainers Play series

"Entre más viajo alrededor del mundo en programas de asesorías a grandes corporaciones y entre más conozco a personas de toda clase, más me doy cuenta de una verdad fundamental: La clave del éxito consiste en construir relaciones positivas. Este libro enseña de forma sobresaliente la filosofía de Jim, de construir relaciones positivas por medio de averiguar y luego satisfacer las necesidades de las dos partes en una negociación a través del uso de preguntas, de escuchar con eficacia, de ser honesto, e integro, de mostrar interés sincero y de formar asociaciones. Este es un libro que debe ser leído por toda aquella persona que quiera evolucionar de lo corriente a la grandeza, en cualquier aspecto de su vida."

—LES BROWN, conferencista en temas de motivación y autor reconocido

"Este es el mejor libro sobre negociación que usted podrá leer en su vida. Es dinámico, práctico y está lleno de estrategias sencillas con las que usted podrá siempre lograr el mejor trato."

—BRIAN TRACY, autor del libro "The Way to Wealth ("El camino a la riqueza")

"Después de cuarenta años como hombre de negocios, patrón, autor y conferencista, pensaba que sabía casi todo en relación con las negociaciones. ¡Jim Hennig demuestra que puedes enseñar a un loro viejo a hablar!"

—HARVEY MACKAY, autor número uno de The New York Times y autor de "Swim with the Sharks" (Nade con los tiburones)

Reconocimientos

A Coreen, quién leyó y releyó mis escritos y me escuchó pacientemente durante años.

A Mary Gainey, quien a través de cuya dedicación incansable se mantuvo a flote el negocio y la oficina funcionando mientras yo escribía.

A mi agente, Barry Neville, quien inició todo el proceso y aseguró el contrato para este trabajo.

Para mi editora, María Gagliano, quien pasó incontables horas en transformar cada pensamiento en bruto, en un manuscrito maravilloso a pesar de mi obstinación.

A los médicos y al personal de Advanced Cardiac Specialist, quienes hábilmente ayudaron a mi corazón enfermo a través de quince angioplastias y dos ataques al corazón.

A los doctores y al personal de Mayo Clinic Hospital Scottsdale, quienes a través de su insuperable experticia reemplazaron mi corazón moribundo con uno saludable, el cual ha hecho este libro y mi vida posibles. Es realmente maravilloso estar vivo.

Al donador altruista de su corazón y a su valiente familia, a quienes eternamente les estaré en deuda.

A mis cientos de clientes corporativos y a las decenas de miles de individuos que han cooperado conmigo en reunir ejemplos, principios, directrices, conceptos, estrategias y tácticas, y lo más importante, que han confirmado la eficacia de las técnicas enseñadas en mis programas y en este libro.

Herramientas para Triunfadores

El Factor X

Dr. Camilo Cruz

ISBN: 1-607380-00-5

212 páginas

Imagínate poder eliminar la multitud de trivialidades que congestionan tu día, y poder dedicar tu tiempo a lo verdaderamente importante. ¿Qué sucedería si antes de tomar cualquier decisión o salir tras cualquier meta, pudieras identificar, sin temor a equivocarte, el camino que debes seguir; aquel que te permitirá disfrutar niveles de éxito, felicidad y prosperidad, que nunca has imaginado?

Esa habilidad para determinar la actividad adecuada, el sueño ideal o el camino indicado a seguir, de entre todas las opciones que podamos tener a nuestra disposición, es lo que el Dr. Camilo Cruz llama: El Factor X. Este descubrimiento extraordinario nos ayuda a dirigir nuestras acciones, de manera que tengamos siempre la certeza de estar trabajando en aquello que es realmente importante en nuestra vida.

En este nuevo libro, el Dr. Camilo Cruz, autor de más de veinte obras, entre las que se encuentran: La Vaca y La Ley de la Atracción, nos revela el asombroso poder de la acción enfocada. Descubre tu Factor X y comienza a vivir hoy la vida que siempre soñaste vivir.

Herramientas para Triunfadores

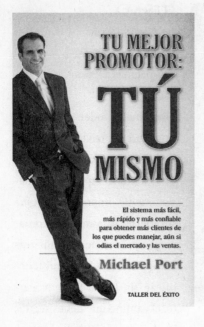

Tu mejor promotor:
Tú mismo
Michael Port
ISBN: 1-607380-19-6
264 páginas

"Tu mejor promotor, TÚ MISMO" está basado en el magnífico sistema de Michael Port para adquirir tantos clientes como los que siempre has soñado. ¡Y funciona! De hecho, el 93% de los dueños de negocios que utilizan este sistema, han experimentado un alza del 34% en el número total de clientes e incrementaron sus ventas en el 42%... únicamente durante el primer año.

¡Original, tremendamente inspirador, personal y retador! "Tu mejor promotor: TÚ MISMO", es un mapa de ruta muy fácil de seguir, con el cual puedes iniciar y hacer crecer rápidamente tu negocio, basado en 7 estrategias esenciales de auto-promoción. A través de ejercicios verbales y escritos, no solamente aprenderás a desarrollar un plan poderoso de mercadeo y ventas; también construirás una "marca personal" que te posicione en el mercado, y comprenderás por qué la auto-promoción es un elemento crucial para tu éxito – y cómo hacerla con pasión y propósito.

Herramientas para Triunfadores

La Vaca
Dr. Camilo Cruz
ISBN: 1-931059-63-2
192 páginas

En el libro La Vaca del Dr. Camilo Cruz, la vaca representa toda excusa, miedo, justificación o pretexto que no les permite a las personas desarrollar su potencial al máximo y les impide utilizar el máximo de su potencial para construir empresas exitosas. De acuerdo al Dr. Cruz "El verdadero enemigo del éxito no es el fracaso, como muchos piensan, sino el conformismo y la mediocridad. Todos cargamos con más vacas de las que estamos dispuestos a admitir; ideas con las cuales tratamos de convencernos a nosotros mismos y a los demás que la situación no está tan mal como parece; excusas que ni nosotros mismos creemos, con las que pretendemos explicar por qué no hemos hecho lo que sabemos que tenemos que hacer".

El doctor Camilo Cruz, es considerado como uno de los escritores de mayor trascendencia en nuestro continente en el campo del desarrollo personal y el liderazgo. Sus más de 30 obras, con ventas de más de un millón de ejemplares, lo han convertido en uno de los escritores latinos más prolíficos en los Estados Unidos. Su libro La Vaca recibió el Latino Book Award, como el mejor libro de desarrollo personal en español en los Estados Unidos.

Herramientas para Triunfadores

La Diferencia

Jean Chatzky

ISBN: 1-607380-18-8

288 páginas

Este es el libro ideal para los lectores en épocas de crisis.

Hay gente que parece poseer la habilidad innata de surgir de entre las circunstancias negativas y ascender sin mayor esfuerzo hacia niveles financieros y negocios exitosos.

Este tipo de personas, no son exclusivamente dueños de grandes negocios – también son gente que usted conoce: líderes, vecinos y con frecuencia, sus amigos. Le ha pasado que cada vez que se encuentra con alguno de ellos, usted se pregunta: ¿Qué tiene esta persona que yo no tengo?

Lo que ellos tienen es "La diferencia". La buena noticia es que usted también la tiene. En este nuevo libro de la exitosa escritora Jean Chatzky, usted aprenderá los pasos, necesarios y comprobados para alcanzar el éxito en todas las áreas de su vida.

• Jean Chatzky, periodista galardonada.

• Editora financiera de "NBC's Today" y la revista "Más" ("More").

• Columnista del diario "The New York Daily News"

• Asesora de la parte financiera en "The Oprah Winfrey Show".

• Presentadora de un programa diario en "The Oprah Radio Channel", exclusivamente en Radio XM.